LE

TOUTOUNIER

--

COLETTE.

En montant l'escalier Alice tâtait dans sa main la forme de la clef. « La même clef... Elle a toujours son anneau tordu, elles ne l'ont pas remplacée. » L'odeur de l'appartement, dès qu'elle referma la porte et qu'elle rejeta en arrière son petit voile de crêpe, la reconquit. Trente, quarante cigarettes quotidiennes, depuis des années, teignaient, tannaient l'atelier, ternissaient sa verrière oblique. Trente, quarante bouts de cigarettes consumées, écrasés dans la coupe de verre noir, témoignaient de l'habitude obstinée. « Et la coupe de verre noir est toujours là! Ici, tout a été plus ou moins cassé, usé, détérioré, depuis trente ans. Mais la coupe noire est intacte. Qui donc a changé de parfum, ici? Colombe ou Hermine? »

Sans avoir besoin d'y penser, elle fit « ventre creux » pour passer entre la demi-queue du piano et le mur, et elle reprit contact d'une manière originelle avec le grand canapé, c'est-à-dire qu'elle s'assit en amazone sur le dossier capitonné, bascula et se laissa rouler sur le siège. Mais le petit étendard de crêpe qui pavoisait son chapeau de deuil s'accrocha à l'angle d'une partition et resta en route. Alice fronça le nez et le front d'un air excédé et se releva. Dans un placard-penderie aménagé sous la partie mansardée du studio, elle

14

trouva tout de suite ce qu'elle cherchait : un deux-pièces couleur moutarde, jupe unie et blouson en jersey
imprimé de vert, qu'elle flaira : « A
qui ? A Hermine ? Ou à Colombe ?...»
Elle quitta prestement sa veste et sa
jupe noires, revêtit avec confiance la
robe de jersey, tirant la fermeture-
éclair, nouant à son cou l'écharpe du
blouson. Les sœurs Eudes n'étaient
pas jumelles, mais égales et ressem-
blantes par leurs grands beaux corps
qui autrefois se servaient d'un cos-
tume pour deux, d'un chapeau pour
trois, et d'une paire de gants pour
quatre...

« C'est moche, ce noir ! » Alice rassembla ses vêtements, les enferma
dans la penderie et chercha en vain
des cigarettes. « A elles trois, elles
ne pouvaient pas m'en laisser une,
non ? » Elle se rappela que ces trois

n'étaient plus que deux. Bizoute, la
puînée, mariée par égarement, tournait des films documentaires, légèrement romancés, du côté des îles
Marquises. Son mari prenait les
vues, Bizoute mettait en scène une
figuration indigène. A peine alimen-
tés par un commanditaire que pour-
suivait la malchance, ils traînaient
une misère ensoleillée, allaient de
goélette en cargo, de « paradis océa-
nien » en « île de rêve », comme en
témoignait, sur le poêle froid, une
feuille de carton accotée au tuyau,
couverte d'instantanés photogra-
phiques : Bizoute sur un atoll, Bizoute en paréo, les cheveux épars
et couronnée de fleurs de tiaré,
Bizoute brandissant un poisson...
« Elle est maigre, naturellement.
Tout ça est affreusement triste... Si
j'avais été là... Il a fallu qu'elle se

marie, pendant que Michel et moi nous étions absents. Ça devait être un jour de buffet particulièrement vide, et de tabac en miettes au fond des poches. Une si belle Bizoute, attelée à un Bouttemy râpé... Idiote... »

Sur le bureau couturé, tavelé de petites brûlures rondes, Alice trouva la grosse boîte d'allumettes sous les ébauches de mélodie notées par Colombe. Elle secoua les petits matelas de cendre écrasés entre les feuilles de papier à musique, découvrit une cigarette, une seule, un peu crevée, et une pipe de merisier noir : « La pipe de papa ! » Sa main épousait le fourneau de la pipe en forme d'œuf, qu'elle porta à ses narines. « Pauvre papa... » Deux petites larmes lui montèrent aux yeux, elle haussa l'épaule. « Il se repose. Plus de leçons de solfège, ni de piano. Il avait

17

bien cru qu'il ne se reposerait jamais... C'est Colombe qui continue. »

Elle s'abandonna enfin au « toutounier natal », vaste canapé d'ori-
gine anglaise, indestructible, défoncé
autant qu'une route forestière dans
la saison des pluies. Un coussin vint
à la rencontre de la nuque d'Alice.
Son cuir était froid et doux comme
une joue. Elle flaira le vieux maro-
quin tout imprégné de tabac et d'un
parfum de chevelures et lui donna
un petit baiser.

« Qui couche là-dessus ? Hermine,
ou Colombe ? Mais à présent qu'elles
ont tant de place, peut-être que
personne ne dort plus sur le toutounier ?... » Elle plongea son avant-
bras entre le dossier et le siège,
explora toute la longueur du capi-
tonnage, ramena du tabac pulvérisé,
de la cellophane froissée en boule,

un crayon, un comprimé d'aspirine, mais ne rencontra aucun pyjama roulé en boudin. Alors elle demeura immobile, écouta la fine averse qui criblait les vitres. « S'il ne pleuvait pas, je donnerais un peu d'air. Mais j'entends encore la pluie. Qui va rentrer la première, Hermine, ou Colombe ? »

Le nom, l'image de Michel vinrent la tourmenter. Elle gardait à son mari, d'être mort, une rancune qui la distrayait souvent de son chagrin inégal, capricieux, mal assujetti. Elle pensait à Michel sans soulèvements tumultueux de larmes, sans abandon amer. Mais ce fuyard qu'on avait retrouvé immergé sous le barrage de Sarçay-le-Haut, cet imprudent qui s'était aventuré jusqu'à la rivière crue, en bordure de ses terres, Alice lui gardait presque autant de sévérité que de regret. Couchée sur le dos, les lèvres refermées sur sa cigarette fendue qui ne tirait pas, Alice regardait encore une fois en elle-même le mort qui n'avait presque pas séjourné dans l'eau, le Michel pâle et reposé, ses cheveux mouillés que l'eau frisait. Elle n'avait pas d'horreur pour ce mort si bien boutonné, ce maladroit qui ne s'était pas méfié de la lourde argile rougeâtre. Mais elle ne trouvait pas en elle d'indulgence.

La glissade brusque, sur la rive lisse et délayée, aboutissait à une autre rive invisible. « M'avoir fait ça, à moi... » La surprise, l'évasion facile, sans maladie ni malaise, elle se refusait, dès qu'elle était seule, à les accepter.

Son regard, errant sur les murs jaunis, s'arrêtait à des pochades fa-

milières, à des tableautins sans ca-
dres. Une grande ombre écailleuse,
derrière le tuyau du poêle, marquait
le chemin de la chaleur.

« Et si Hermine ne rentrait pas ?
Et Colombe non plus ?... » Une conjecture aussi folle la fit sourire. La
fine averse, sablant le vitrage, mena
la voyageuse jusqu'au seuil du sommeil, et elle tressaillit au bruit de
la clef tordue qui tournait dans la
serrure.

— Hermine ? cria-t-elle.

— Non. Ici Colombe.

Alice s'assit d'un coup de reins.

— Tu n'as pas toussé, alors je
croyais que c'était Hermine. Si on
foule aux pieds toutes les traditions !
Au nom du ciel, as-tu des cigarettes ?

Une boîte de cigarettes blondes
tomba sur ses genoux. Les deux
sœurs ne s'embrassèrent, sur la

tempe et le bout de l'oreille, qu'après avoir aspiré, rejeté les premières bouffées.

— Quelle sale habitude, dit Colombe. Alors? Te voilà? Mais dis donc, dis donc, il me semble que je connais cette étoffe-là?

Elle pinçait la jupe moutarde.

— Ah! c'est à toi? Je te repasse mon deuil en échange, si tu veux.

Elles reprenaient le « ton toutounier », ainsi elles nommaient une liberté invétérée de plaisanter sans rire, de n'éviter aucun sujet de conversation, de garder leur sang-froid presque en toutes circonstances, et de s'abstenir des larmes.

— Hermine?... demanda Alice.

— Va bien... A peu près bien.

— C'est toujours Monsieur Weekend qui l'occupe?

— Toujours.

— Mais... Est-ce que c'est le même ?

— Sûr. Une tourte comme Hermine, si elle changeait d'homme, ça se verrait sur sa figure. Plus monogames que nous quatre, ça n'existe nulle part.

— Non... dit Alice d'un ton morne.

Colombe s'excusa en allongeant sur l'épaule de sa sœur une caresse brève comme une tape.

— Pardon !... Je ferai attention. Dis-moi, j'ai bien fait, ou non, de ne pas aller à... là-bas...

— A l'enterrement de Michel ? Oh ! oui, bien fait !... Oh !...

Elle aplatit d'un coup de poing le coussin de cuir. Sa main intolérante ouvrit sur son front sa frange épaisse et rigide de cheveux noirs, et ses yeux pâles, que verdissait la moindre émotion, menacèrent tout ce qu'elle venait de laisser dans une province malveillante, et même celui qui reposait, indifférent, dans un petit cimetière de village, au bout d'une allée de pommiers en fleur...

— Oh! Colombe, cet enterrement! La pluie qui ne cessait pas, les yeux des gens, ce curé que je n'avais jamais vu, et des types, des centaines de types, une foule que je n'avais jamais vue non plus, en sept ans... Tu sais, quand on tape du pied sur le dessus d'une fourmilière et que ça sort de partout... Une manière de me regarder... Tout juste si je ne faisais pas figure d'accusée, tu sais!

Elle plongea son regard dans les yeux de Colombe, laissa tomber sa colère. Ses lèvres gercées tremblèrent en même temps que ses narines. La faiblesse, même passagère, convenait mal à son visage irrégulier, hardi, un

peu écrasé, à ses yeux en forme de
feuille de saule.

— Tt, tt, tt... lui reprocha Colombe.

— Et puis, reprit Alice, il y avait,
en plus, ce... cet accident, cette surprise... On ne meurt pas si bêtement,
Colombe, voyons ! On ne tombe pas
à l'eau, comme un idiot, ou bien on
nage ! Ces Méridionaux, ça ne nage
donc pas ?... Oh ! je ne sais pas ce
que je lui ferais !

Elle se rejeta en arrière, fuma
d'une manière emportée.

— Je t'aime mieux comme ça, dit
Colombe.

— Moi aussi, dit Alice. Pourtant
je m'étais fait, jusqu'ici, une autre
idée de la douleur des veuves...

L'ironie lui donnait tout de suite
l'air de rire. Combien de fois Michel,
à cause de cet air de rire, s'était-il

senti atteint dans ce qu'il appelait
sa dignité d'homme?...

Colombe haussa ses longs sourcils vers ses cheveux noirs ondés,
divisés par une raie au-dessus de la
tempe gauche. Un seul bandeau tra-
versait son front et se fixait, comme
un rideau, derrière son oreille droite.
Le reste de l'épaisse chevelure —
les vigoureux cheveux des quatre
filles Eudes — se massait, à grosses
boucles, sur la nuque.

— Je n'ai eu que Maria pour venir
à mon secours. Maria, oui, la gar-
dienne. Elle a été épatante. Un tact,
une espèce de miséricorde cachée et
présente...

— Mais c'est nouveau, Alice! Maria, tu m'avais toujours dit que cette
vieille finaude était une créature à
Michel!

— Oui. Le type de la gouvernante

« pour monsieur seul ». Eh bien c'était changé, même avant la disparition de Michel. Il avait dû lui déplaire, je ne sais trop comment. Elle voyait à travers les murs, celle-là! Elle couchait à côté de moi, dans le salon. Moi sur un canapé, elle sur l'autre, dans sa grande chemise de nonne.

— Dans le salon? Pourquoi le salon?

— Parce que j'avais peur, dit Alice.

Elle leva son long bras, le laissa retomber sur l'épaule de sa sœur.

— Peur, Colombe. Une vraie peur. Peur de tout, de la maison vide, peur quand on claquait une porte, peur quand la nuit venait... Peur de la manière dont... dont Michel était parti...

Colombe plongea dans les yeux de sa sœur son regard intelligent.

— Oui ?... Tu croirais ?...

— Non, dit nettement Alice. Mais c'est possible, ajouta-t-elle d'une voix molle.

— Histoires ? Affaires ?

Alice ne détourna pas les yeux.

— Laisse, va. Il y a des moments où la vie d'un homme et d'une femme m'apparaît comme quelque chose d'un peu indigne, un peu cabinet de toilette dans un placard... Ce n'est bon qu'à être caché. La preuve, c'est que j'avais peur de tout ce qui nous avait vus, à Cransac. Des deux bibliothèques noires au fond du salon. Des rossignols qui chantaient toute la nuit, oh ! toute la nuit... De cette caisse où on avait couché Michel, et après, de la disparation de cette caisse... Oh ! je déteste les morts, Colombe. Ils ne sont pas de la même espèce que nous. Je te scandalise ? Un homme... comme ça... enfin, sans vie, est-ce que c'est vraiment le même que celui qu'on a aimé ?... Tu ne peux pas comprendre...

D'une main conjuratrice, Colombe toucha le bois terni du demi-queue. Alice se rasséréna, sourit.

— Bon, bon. Je vois. Je vois que ça tient toujours, le Balabi et toi. Bons amis ? Ou bons amants ?

— Qu'est-ce que tu veux qu'on soit d'autre que des amis ? On est à moitié claqués de travail, l'un comme l'autre.

Elle bâilla, puis s'éclaira brusquement :

— Ça a pourtant l'air de s'arranger un peu pour lui. Il va diriger l'opérette de Pouric, à la rentrée.

Elle baissa la voix pour confier à Alice, sur un ton de gourmandise et d'espoir :

— Sa femme est malade !

— Non ?

— Si, mon petit ! Et sérieusement. Elle perd l'usage de ses jambes, et il paraît que si les piqûres qu'on lui fait n'agissent pas, le cœur peut flancher à tout instant et, parfaitement, pouf !...

Elle s'interrompit, contempla quelque chose d'heureux et d'invisible dont la vue rajeunit sa joue fatiguée, ses paupières plissées de myope.

— Mais, tu sais, il ne faut pas s'emballer comme ça. Pauvre Carrine... Il a une de ces gueules... C'est surtout le manque de sommeil. On ne dort jamais assez. On est trop fatigués, on n'a plus le cœur à dor-

mir. Je lui fais des bouts d'orches-
tration, des transcriptions, ce que
je peux, après mes leçons...

Elle rajeunit brusquement, ouvrit
grands ses très beaux yeux fatigués :

— Oh! tu sais, il a une de ses chan-
sons prise par Maurice Chevalier !
Ça, alors... Et tu sais, sauf le refrain,
la chanson est de moi... Elle est gen-
tille...

Elle chercha à atteindre le clavier
derrière elle à tâtons, par-dessus
le dossier du canapé, puis y re-
nonça :

— Alice, je ne te parle peut-être
pas assez de... de ce qui t'est arrivé...

— Mais si, mais si, bien assez, dit
Alice froidement.

Leurs yeux presque pareils se
croisèrent. Elles cachaient le plaisir
qu'elles ressentaient à se retrouver

si parentes, dures à elles-mêmes, cyniques par affectation et par pudeur.

— J'entends l'autre, dit Colombe. Je lui ouvre.

Avec une facilité qui venait de la longue habitude, elle passa ses jambes par-dessus le dossier du canapé, retomba sur ses pieds.

— Entre, toi. Oui, Alice est là. Embrasse-la et laisse-nous causer.

Hermine jeta son chapeau sur le piano et se glissa à côté de ses sœurs.

Elle appuya contre la joue d'Alice sa joue plus maigre, ses cheveux blonds qu'elle décolorait, et ferma tendrement les yeux.

— Tu sens bien bon, ma petite fille, dit Alice. Reste là.

— Qu'est-ce que vous disiez ? demanda Hermine sans ouvrir les yeux.

— Oh! pas grand'chose de beau,

va... Je disais que j'en ai ma claque, de tout ce que j'ai vu là-bas...

Toutes trois se turent. Alice lissait de la main les cheveux dorés de la fausse blonde. Colombe pianotait sur le bois sonore et déverni du Pleyel. Au soupir d'Alice, Hermine se souleva, interrogea le visage de sa sœur.

— Mais non, je ne pleure pas! protesta Alice. Je suis éreintée. Je pense à tout ça... Pauvre Michou, il avait payé l'assurance...

— Quelle assurance?

— Un truc, une assurance sur la vie. La Compagnie d'assurances aussi m'a fait la tête... Une politesse soupçonneuse... Une enquête, mes enfants, ils ont fait une enquête!... Je vous dis, j'en ai vu, là-bas, de plus d'une couleur... Enfin, c'est arrangé. Et Lascoumettes,

oui, Lascoumettes, voyons !... le type
du moulin ! Il m'a lâché le paquet :
il veut la maison et les terres autour !
Il va les avoir. Ah ! Seigneur, oui,
il va les avoir ! S'il n'y a que moi
pour les lui refuser !

— Mais alors, dit lentement Colombe, mais alors tu vas avoir de
l'argent ?

— J'en ai déjà. J'aurai l'assurance,
la vente de la propriété... quelque
chose comme... deux cent quatre-
vingt-cinq mille francs, mes petites
filles.

— C'est fou... Mais alors, dit Colombe du même ton rêveur, alors
tu me donnerais... tu pourrais me
donner cinq cents francs ?

— Les voilà, dit Alice en fouillant
son sac. Imbécile, tu en avais si
besoin que ça ?

— Presque, dit Colombe.

Elle toussa pour se donner une contenance, baissa les yeux, fit tourner le bout de ses deux index dans l'angle interne de ses paupières, contre son nez. Alice faillit s'attendrir en contemplant les beaux traits ravagés de sa sœur, puis se souvint à temps que leur code particulier leur interdisait l'effusion. Elle jeta ses bras sur les épaules de ses sœurs.

— Oh! mes enfants, venez! Venez avec moi dîner, boire... Empêchez-moi de penser que Michel ne viendra pas nous rejoindre au dessert, mon gros Michel, mon Michel assez stupide pour être mort...

— Tt, tt, tt... blâma Colombe.

Alice reçut sans protester ce rappel à la convention de légèreté, de silence et d'ironie qui régissait leurs rapports. Mais elle fléchit un moment, resserra sa double étreinte.

— Mes enfants, je suis ici. Enfin, je suis ici, chuchota-t-elle avec un accent contenu.

— Ce n'est pas la première fois, dit Colombe froidement.

— Ni, que je pense, la dernière ? jeta Hermine.

Pour la mieux voir, Alice repoussa la tête blonde. Au col de sa robe noire étroite, Hermine avait épinglé une rose d'or. Sur l'un des pétales, une gouttelette de diamant brillait.

— Oh ! c'est joli, s'écria Alice. C'est Monsieur Weekend qui te l'a donnée ?

Hermine rougit.

— Mais naturellement... Qui veux-tu...

— Mais je ne veux personne ! Je me contente parfaitement de Monsieur Weekend !

— Un si bon patron, insinua Colombe.

Hermine se fit brave, toisa sa sœur.

— Il vaut Carrine, tu sais. Sans se fouler.

Alice caressa la tête dorée de celle qui avait choisi d'être blonde.

— Laisse-la tranquille, Colombe. Elle a vingt-neuf ans. Elle sait ce qu'elle a à faire. Hermine, le Balabi de Colombe, c'est un vieux zog très gentil...

— Un idiot comme moi, soupira Colombe.

— Oui, enfin un cœur d'or...

— Ah! tout de même, ménage tes expressions, dit Colombe offensée.

— Mais je ne vois pas pourquoi Monsieur Weekend ne présenterait pas, lui aussi, un choix de ces qualités solides qui...

— Qui vous dégoûtent d'un homme, acheva Colombe. Personnellement je n'ai rien contre Monsieur Weekend. A moins qu'il ne soit octogénaire.

— Ou couvert de pustules.

— Ou blond très clair...

— Ou officier de l'active...

— Ou chef d'orchestre. Nous n'avons droit qu'à un chef d'orchestre pour quatre. Hermine, tu m'entends ? Hermine, je te cause.

Hermine, la tête penchée, écaillait de l'ongle du pouce le vernis de ses autres ongles. La chevelure blonde suffisait à atténuer sa ressemblance avec Alice, en dépit du nez un peu épaté, le nez annamite de la famille. Une petite raie lumineuse glissa le long de la narine charnue, brilla suspendue à la lèvre d'Hermine, se perdit dans la robe sombre.

— Hermine ! cria Alice sur le ton de l'indignation.

Hermine inclina la tête un peu plus bas.

— Prête-moi ton mouchoir, bégaya-t-elle.

— Laisse-la, elle est folle, dit Colombe dédaigneusement. On ne peut pas lui parler. Ou elle fait une scène, ou elle pleure.

— Laisse-la, toi-même. D'abord elle doit avoir de l'ennui. Elle est maigre.

Elle toucha le haut du bras d'Hermine, puis lui prit le sein, le pressa dans sa main et le soupesa.

— Pas assez plein, dit-elle. Que fait donc de toi Monsieur Weekend ? Il ne te donne pas à manger ?

— Si, pleurnicha Hermine. Il est

très gentil. Il m'a augmentée. Seulement, n'est-ce pas...

— Quoi ?

— Il est marié...

— Encore ! s'écria Alice. Vous ne
plaisez donc qu'à des types mariés,
vous deux ? Et tu es sa maîtresse,
naturellement !

— Non, dit Hermine dans son
mouchoir.

Par-dessus la tête penchée, Colombe et Alice échangèrent un regard.

— Pourquoi ?

— Je ne sais pas, dit Hermine. Je
me retiens. Oh ! tout ça m'agace...
Et les blagues idiotes de Colombe,
par-dessus le marché...

— Nous sommes nerveuse, dit Colombe d'un ton affecté. Chaste et
nerveuse.

— Ecoute-la ! cria Hermine. Elle

dit ça comme elle dirait que j'ai des poux! Après tout, je suis libre! Ça te regarde, si je suis nerveuse?

Elle se recroquevillait dans son étroite robe noire, remontait ses épaules, croisait ses bras sur ses seins. En même temps elle récriminait avec violence, d'une bouche âpre et bien endentée, et Alice s'étonna :

— Mon Dieu, petite, tu ne peux pas prendre ça du bon côté? Ce n'est pas d'aujourd'hui qu'on se charrie, entre toutounières, sur le toutounier natal. Personne n'a prétendu que tu n'étais pas libre. Tu ressembles à la petite chauve-souris que j'avais prise, dans un filet à papillons...

Un bâillement lui coupa la parole.

— Oôh! manger... N'importe quoi

mais manger! Neuf heures dix! Il n'y a rien à croûter, ici?

— Je voulais faire des œufs sur du jambon, offrit Colombe.

— Cache ça. Nous avons quinze ans de jambon et d'œufs à amortir. Je vous emmène chez Gustave. Une andouillette grosse comme mon bras, voilà ce qu'il me faut. Elles sont toujours bouennes - bouennes - bouennes, les andouillettes, chez Gustave?

— Pas tellement, dit Hermine.

— Ne l'écoute pas! protesta Colombe. Grasses comme des asticots, et fondantes...

— Vous avez fini? coupa Alice. Moi, je m'en ressens pour Gustave et le chavignole. Au trot, c'est moi qui commande! Colombe, tu as un tricbalous pour aller avec ta tenue moutarde?

— J'ai un petit calot vert tricoté. Une merveille, dix-sept francs.

— Alice, tu ne vas pas sortir comme ça? demanda Hermine alarmée.

Alice la regarda durement.

— Rapport? Parce que j'ai laissé le noir? Oui, j'ai laissé tout le crêpe dans le padirac.

Elle tendit le bras vers le placard.

— Demain matin je le reprendrai.

— Ça ne te fait rien, à cause de...

— De Michel? Non. A lui non plus, sûrement...

Elle s'interrompit, secoua la tête.

— Venez. Ça ne regarde que moi.

Elles se bousculèrent dans l'étroit cabinet de toilette, creusèrent le ventre, rentrèrent la croupe pour circuler entre le lavabo et la baignoire de zinc repeinte dix fois, se délassèrent en propos inutiles. A

tour de rôle elles outrèrent le rouge
de leurs lèvres, l'orange de leurs
joues, grimacèrent identiquement
pour vérifier l'éclat de leurs dents,
enfin se ressemblèrent d'une manière banale et frappante. Mais elles
cessèrent de se ressembler dès
qu'elles eurent coiffé trois chapeaux
différents. Colombe et Alice n'eurent
pas l'air de remarquer une seconde
petite rose d'or, épinglée dans le
béret de velours noir, sur les cheveux
blonds d'Hermine. Elles eurent toutes trois le même geste infaillible en
inclinant sur l'œil droit le béret, le
feutre usagé, le bonnet de laine
verte. Colombe ne possédant pas
de manteau moutarde, Alice noua
sous son menton un gros foulard
violet. Leurs mouvements, quand il
s'agissait de parure, atteignaient le
but avec virtuosité, utilisaient magis-

tralement des parures et des tissus de rencontre.

— Tu te souviens, Colombe, du cache-col de papa, le chiné ? Ce qu'il m'allait bien...

Toutes trois se sourirent dans le miroir au tain taché. Elles échangèrent des mots rituels avant de descendre :

— La busette ?

— Elle est restée dans la serrure. Je la prends. Les sisibecques ?

— On passe devant le tabac, dit Alice, j'en achèterai pour tout le monde.

Elles allèrent bras sur bras, parlant haut, en travers de la rue déserte, respirant le crépuscule humide. Alice poussa du pied, en habituée, la porte du restaurant Gustave. Elle se coula jusqu'à la table qu'elle préférait, contre une

cheminée à hotte, s'assit en sou-
pirant de plaisir. La longue salle,
forée à même une épaisse et vieille
bâtisse parisienne, étouffait les
bruits. Rien n'y avait jamais été
sacrifié à un goût personnel, ni à
un raffinement.

— Tu vois, dit Colombe, c'est
immuable. On vient ici pour manger, comme au confessionnal pour
se confesser.

— Encore le confessionnal se per-
met des guirlandes et des sculptures
dans le goût temporel... Où est donc
Hermine ?

Hermine, attardée près d'une
table, causait avec une dîneuse seule,
simple, un peu replète.

— Qui c'est, cette rombière ? demanda Alice.

Colombe mit sa bouche près de
l'oreille d'Alice.

— Madame Weekend. La vraie. La légitime.

— Comment?

— Oui. De son nom Rosita Lacoste.

— Mais lui, celui que nous appelons Monsieur Weekend... il s'appelle?...

— Ben, il s'appelle Lacoste, voyons. Pas dans sa maison de commerce, sa maison de commerce c'est Lindauer.

— A ton idée, Colombe, qu'est-ce qu'il fera de la petite?

Colombe haussa les épaules.

— La petite, ce n'est pas une raison pour qu'il ne l'épouse pas, un jour. Si on n'épousait que les célibataires!... Mais il y a un tas de choses que j'ignore. Hermine est changée, comme tu as vu.

— Et si je lui posais nettement la question ?

— Ça ne me paraît pas très indiqué... Fais attention, elle revient.

— Qu'est-ce que tu mangeras, petit ? Dis, Hermine ?

— Je... La même chose que vous, dit Hermine au hasard.

— Moi, c'est la brandade de morue et une andouillette, dit Alice.

— Moi, dit Colombe, un truc en bœuf haché avec un œuf dessus et de l'oignon cru tout autour. Et de la crème au chocolat après le fromage.

— Champagne nature, ou Beaujolais, Hermine ? Hermine ! Où es-tu ?

— J'ai froid, dit Hermine en se frottant les mains. Un steck au poivre et de la salade.

— Froid ? Par ce temps ? Le huit mai ? Colombe, tu l'entends ?

Colombe lui répondit par un signe à la dérobée, et Alice n'insista pas.

— Bois, Hermine, tu te réchaufferas.

Elles vidèrent à jeun leur premier pichet de chavignole. Alice respirait plus profondément, desserrait la contracture nerveuse de ses côtes. Elle entra, à la faveur du vin et du besoin de manger, dans une phase de bien-être, et toutes les lumières lui parurent d'un jaune très clair.

En face d'elle, les visages de ses deux sœurs, perdant soudain les caractéristiques imposées par l'aveugle habitude, se changèrent en visages étrangers, comme ceux que l'on rencontre une seule fois et qui ne cachent rien. Colombe laissait voir ses trente-quatre ans épuisés et ne cessait de fournir de nicotine sa trachéite chronique.

« Belle figure, songeait Alice. Elle a des virgules dans les coins de la bouche, des lèvres comme les miennes, mais devenues plus minces à force de serrer la cigarette en lisant, en jouant du piano, en chantant, en parlant. Un regard d'honnête homme découragé, une ravine en long dans les joues... Je parie qu'elle n'a jamais fait de l'œil qu'au Balabi, autre exemplaire de pure vertu et de fidélité. La petite est bien jolie, malgré ses cheveux blonds, ou à cause de ses cheveux blonds. Mais elle cloche de je ne sais où. Santé? Embêtements? Jalousie?... Cette histoire de « Monsieur Weekend » n'est pas claire... Qu'est-ce qu'elle est venue faire ici, l'autre Mme Weekend? C'est doux, d'être ici avec mes toutounières, et la brandade est en velours... »

Elle lampa encore un verre du vin fruité et froid, et le bourdonnement de la mer s'éveilla dans ses oreilles. Son bien-être s'en accrut, troublé seulement par un souci indistinct, quelque chose de noir comme un plafond enfumé, ou une nue basse, traînante. Le front plissé, elle chercha... « Ah! oui, se dit-elle, ce qu'il y a, c'est que Michel est mort. Il est mort et ça dure déjà depuis des jours et des jours, et je me demande si ça va durer encore longtemps... Qu'est-ce qu'elles ont encore à se chamailler, ces deux-là? »

— Non, je n'y suis pas allée, disait Hermine.

— Je le sais bien, dit Colombe.

— Mais parfaitement, je n'y suis pas allée, je ne m'en cache pas.

— Tu ne t'en caches pas, mais tu ne me l'as pas dit. Tu m'as dit « il faut que j'attende », de manière à me faire croire que c'était la direction du théâtre qui te demandait d'attendre que la préposée à la location soit partie. Alors moi, bonne bête, je faisais des pieds et des mains pour que personne d'autre n'ait la place. Tu aurais pu dire simplement que ça ne t'intéressait pas, que tu n'avais pas besoin, — et je t'en félicite — de mille balles supplémentaires par mois.

— D'abord, je ne t'avais rien demandé !

Hermine n'élevait pas la voix, mais reprenait son expression de victime hargneuse, son regard de bas en haut, un petit gémissement râpeux à la fin des phrases. Colombe la traitait sans acrimonie, mais avec assez d'insistance pour qu'elle s'exaspérât peu à peu. Alice fit ef-

fort pour sortir de sa zone bourdon-
nante et jaune clair.

— Hé là, hé là, qu'est-ce que c'est
que ces façons ? Pas d'histoires pendant qu'on mange, paragraphe III
du code Toutounier. Paragraphe IV :
jamais de discussions en public.

— Il n'y a plus personne, dit Colombe.

— Il y a la rombière d'Hermine.
Elle paye son addition.

— Elle n'aura pas d'indigestion,
elle a pris un cocktail, remarqua
Colombe.

— Qui est-ce, cette forte personne ? demanda négligemment
Alice.

— Une ancienne modéliste de
chez Vertuchou, je crois, répondit
Hermine sur le même ton. Je l'ai
connue au studio d'Epinay, quand
je figurais dans *Sa Majesté Mimi*.

— Elle est chez Vertuchou?

— Elle y était, je crois... A présent, je ne sais pas... Verse-moi quelque chose, j'ai une soif...

Elle mouilla d'eau son vin, et le col de la carafe grelotta contre le bord du verre. Alice chercha du regard la femme aux cheveux gris, qui atteignait la porte. Hermine cessa de manger, et posa son couvert en travers de son assiette.

— Plus faim?

— Plus guère...

— Dommage. On change de vin, Colombe?

— Une goutte de Beaujolais, pour faire plaisir au fromage...

Colombe devenait un peu rouge, sur les pommettes et les ailes du nez. Un œil cligné par l'habitude de la cigarette, elle jouait du piano sur le bord de la table. Alice ne s'étonnait pas qu'aucune de ses sœurs ne lui parlât de Michel. Elle-même, assaillie de moment en moment par le souvenir engourdi, refoulait la sollicitation du mort comme s'il l'eût attendue à la maison. « Tout à l'heure... Un peu de patience... » Il avait cessé d'être un corps repêché, humide, horizontal. Peut-être se tenait-il chez lui, assis et le téléphone à l'oreille, ou debout et les coudes appuyés sur le pupitre supérieur du bureau Tronchin. « Un instant, Michel... Laisse-nous... Tu sais bien que c'est notre délassement, à nous autres les filles Eudes, ces petits repas où nous ne voulons pas de convives... »

— Un fruit, Hermine ? La tarte maison ?

— Merci non.

— Quelque chose qui ne va pas ?

— Tout va très bien.

Et pour preuve, Hermine repoussa son assiette, pressa sa serviette sur ses yeux et sanglota avec violence.

— Hermine! s'écria Colombe.

— Laisse-la. Elle aura plus vite fini si elle ne se retient pas.

Alice se remit à manger, imitée par Colombe qui refleurissait sous le bienfait de la viande rouge et du vin honnête, pansée en outre et comme guérie à jamais de tout souci par le grand billet de cinq cents francs plié dans son sac.

Une pudeur fraternelle les détournait de la sœur atteinte, et elles s'abstinrent de la regarder comme si elle eût, en public, souffert du ventre ou saigné du nez. Hermine s'apaisa, s'essuya les cils et se poudra.

— Guézézi, guézézi, lui dit Alice d'un ton encourageant.

Les yeux clairs d'Hermine, qui semblaient bleus depuis qu'elle était blonde, brillèrent entre ses paupières irritées.

— Guézézi, répéta-t-elle. C'est bientôt dit. Il faudrait pouvoir.

Elle demanda des cerises de primeur, cueillies très loin de Paris, déjà flétries au bout de leurs queues sèches. « Au bord du bois, tout près de l'eau, les cerisiers étaient encore fleuris... » se rappela Alice. « Sur les cheveux mouillés de Michel, il y avait deux ou trois pétales de cerisier... » Elle fronça les sourcils, fit mauvais visage au paysage qui ressuscitait, à son hôte immobile et devenu mystérieux, et appliqua toute la force défensive de son esprit à observer sa cadette.

Hermine restait pâle et troublée, pinçait distraitement ses noyaux de

cerises entre le pouce et l'index.
Avec appréhension, avec une sorte
de répugnance, Alice songeait qu'il
lui faudrait peut-être forcer le silence de cette sœur blonde et dissimulée. « Dissimulée ? Nous nous
sommes surtout caché nos embêtements, depuis notre enfance... » Elles
n'avaient pas connu de luttes intes-
tines, ni de rivalités familiales. Leurs
combats étaient d'autre sorte. Lutte
pour manger, pour enlever un poste
de dessinatrice, un emploi de ven-
deuse, de secrétaire, d'accompagna-
trice dans un beuglant de quartier ;
former, à elles quatre, un quatuor à
cordes, médiocre, pour les grands
cafés... Hermine avait été plusieurs
fois mannequin. Beau moyen de dé-
périr rapidement, d'arriver à la li-
mite de ses forces, à l'écœurement
du café noir, après quoi elle cher-

chait dans les studios... Et Bizoute ?
Que Bizoute était jolie, encadrée
dans le guichet de la location, aux
Bouffes !... Mais on s'édifie vite,
quand on est une des quatre filles
Eudes, sur la persistance des des-
seins formés par l'admiration des
hommes, qui bute contre une paroi
de verre, un grillage en cuivre, un
seuil de couturier, et n'essaie guère
de les franchir... « C'est au point,
pensait Alice, que je me demande
si la plupart des prétendues victimes
trop aimées ne se bourrent pas le
crâne... »

Colombe, la musicienne, n'eût pas,
pendant les pires semaines, lâché la
musique pour une oie aux marrons...
Alice, elle, savait tout faire. Elle
avait même su se marier... Des vies
pures, en somme, des vies de filles
pauvres et dédaigneuses, fringantes

sur leurs talons tournés, et qui toisaient l'amour sans considération, d'un air de dire : « Pousse-toi un peu, mon vieux, fais-toi petit... Avant toi, il y a la faim, la férocité et le besoin de rire... »

Alice regardait à la dérobée la figure d'Hermine, son menton qui s'effilait, une ombre dans sa joue, sous une molle boucle de cheveux blonds... Elle soupira, sortit de sa solitude.

— Café, les toutounières ?

Colombe repoussa du geste, violemment, la tentation, puis l'accueillit avec un rire humble.

— Oh! oui, café! Café, et puis tant pis! Café, calva, tout!

Elle retourna le menu, y jeta d'une main vive des signes d'écriture musicale. Son feutre sur l'œil, sa cigarette qui lui tirait la bouche à droite n'ôtaient à ses traits que la symétrie, respectaient leur expression de fatigue noble et distraite. « Celle-ci méritait mieux que ce qu'elle a », jugea Alice, « même en y comprenant Carrine, dit le Balabi ».

— Tu ne devrais pas prendre de café le soir, Hermine...

— Crois-tu ?

La cadette souriait, mais Alice discerna la froideur, le défi du sourire, s'alarma en silence.

— Comme tu voudras, mon petit.

Sur la table desservie, le garçon à moustaches grises disposa une nappe de papier, un calvados couleur de caramel clair et les tasses ébouillantées, puis le pot de terre coiffé d'un filtre, et Colombe s'anima.

— Il sent toujours bon, leur café, hein, Alice... Alors ? Qu'est-ce que tu comptes faire après tout ça ?

— Tout ça quoi ?

— Mais, Alice, je voulais dire... enfin, Michel...

— Ah ! oui... Rien. Rien pour l'instant. Il y a encore un tas de trucs légaux... Ah ! la la... Par chance, Michel n'a aucune famille. Je compte surtout parler de lui le moins possible.

— Bon. Comme tu voudras.

— Parce que, pour dire la vérité, je... je ne suis pas très contente de lui, dans cette affaire...

— Quelle affaire ?

— Mais... je trouve qu'il n'aurait pas dû mourir.

Elle écrasa sa cigarette dans une soucoupe, et répéta, avec une expression de scrupule :

— Voilà, je trouve qu'il n'aurait pas dû mourir. Je ne sais pas si tu me comprends...

— Très bien. Je crois. Tu es aussi sévère, en somme, pour un accident imbécile que tu le serais pour... pour un suicide.

— Exact. Un suicide, ce n'est pas très reluisant.

— Quelle qu'en soit la cause? demanda Hermine.

Elle écoutait ses sœurs avec agitation, festonnait d'un ongle aigu la nappe de papier.

— Quelle qu'en soit la cause, dit Alice.

— Quelle qu'en soit la cause, répéta Colombe.

Elle échangea avec Alice un calme et fidèle regard.

— Mais enfin, s'écria Hermine, il y a des suicides qui ont pour motif le... le désespoir... l'amour...

— Que tu dis! Hein, Alice? Moi, risqua Colombe, je crois que si un homme m'aime, il ne doit pas me préférer quelque chose d'autre, même le suicide.

— Mais si tu l'avais désespéré, Colombe ?

Colombe regarda sa sœur avec une sorte de naïveté majestueuse.

— Comment veux-tu qu'il soit désespéré si je suis là ? Il ne pourrait l'être logiquement que si je n'étais plus là...

— J'aime « logiquement », dit Alice, en souriant à Colombe.

Mais Hermine rougissait jusqu'aux cheveux. Plus secrète que ses sœurs, il lui arrivait par moments d'être plus déchiffrable.

— Je vous trouve... je vous trouve inouïes ! cria-t-elle. Vous chicanez à un homme son droit de tomber à l'eau sans le faire exprès !

— Mais bien entendu, dit Alice.

— Oh!... Cet homme qui a pensé
à toi jusqu'après la vie, qui a songé
à assurer ton existence...

— Et puis? dit rudement Alice.
Les bienfaits matériels, tu sais, moi...
Il aurait mieux fait de préserver la
sienne, d'existence.

— Oh! Tu es... Tu es...

Hermine déchira un long ruban
de la nappe en papier, et jeta, en
baissant la voix, quelques paroles
injurieuses. Colombe et Alice atten-
daient qu'elle se calmât, et leur
patience, leur réserve parurent la
blesser. Lorsqu'elle soupira impru-
demment : « Pauvre Michel! » Alice
lui posa la main sur le bras :

— Attention, ma petite fille. Tu
as bu un peu de vin ce soir. Tu es
la seule de nous quatre qui n'en-
tende rien au vin. Michel, ça me
regarde. Même là où il est. Si je

5

ne peux plus, devant vous deux, dire ce que je pense, si je ne peux plus avoir tort tranquillement, par injustice naturelle, ou par... amour...

Hermine dégagea impétueusement son bras, colla sa joue sur la main d'Alice :

— Si! Si! Tu peux! s'écria-t-elle tout bas. Aie tort! Aie tort! Ne fais pas attention! Tu sais bien que je suis la plus petite!

— Tt, tt, tt... blâma Colombe.

— Ne la gronde pas, dit Alice.

Elle supportait, avec autant d'attendrissement que d'inquiétude, la joue chaude sur sa main, et sur sa manche verte et marron qu'elle ne reconnaissait pas, glissaient les doux cheveux blonds désordonnés.

— Tiens-toi bien, petit. Il y a encore l'honnête serviteur et sa moustache de garçon de bains... Viens, on s'en va se coucher. Colombe, tu vois le Balabi à sa boîte, ce soir?

Colombe ne répondit que par un grand hochement de tête mélancolique et négatif.

— Et toi, Hermine? Tu es de sortie?

— Non, dit Hermine sourdement. Où veux-tu que j'aille?

— Alors déposez-moi, je paie un taxi. Je fonds de fatigue.

— Mais, dit Colombe, qui as-tu chez toi, pour t'aider?

— Demain matin, j'ai la Non-Couchée.

— Et ce soir?

— Ce soir, personne.

Elles se turent toutes trois, et s'apprêtèrent à sortir, en dissimulant que leurs pensées prenaient, toutes trois, le chemin d'un appartement où Alice allait entrer seule, et seule passer la nuit.

— Alice, dit Hermine, tu vas garder cet appartement, je veux dire, ton appartement ?

Alice leva ses longs bras.

— Tu me demandes ça !... Est-ce que je sais ? Non, je ne le garde pas. Oui, je le garde, — pour le moment. Et puis filons, ou je dors sur la table..

La nuit, embuée et douce, était sans brise ni parfums. Dans le taxi, Alice s'assit entre ses deux sœurs, passa ses bras sous deux bras pareils aux siens, et aussi beaux. Mais du côté d'Hermine, elle étreignait une chair diminuée, un coude pointu. « Qu'est-ce que ça peut être, l'histoire de la petite Hermine ?... »

— Si tu avais besoin de quelque chose... dit soudain Colombe. Odéon 28-27.

— Tu as enfin fait mettre le téléphone ? C'est une grande date !

— Ce n'est pas moi, dit brièvement Colombe. Il est dans la
chambre d'Hermine.

Debout sur le trottoir, elles levèrent toutes trois la tête vers le
troisième étage comme si elles crai-
gnaient d'y voir de la lumière. Alice
laissa partir ses sœurs, et referma
la lourde porte. Dès l'ascenseur,
lent et orné de ferronneries go-
thiques, elle fut édifiée sur sa propre
lâcheté. Le bruit que fit sa clef en
tournant dans la serrure, une volige
du parquet qui geignit sous le ta-
pis lorsqu'elle traversa le vestibule,
d'autres craquements familiers, ceux-
là même qui accompagnaient les
retours de Michel, la nuit, lui an-
noncèrent clairement la déroute de
son sang-froid. Brave, elle suppor-

tait la peur comme un autre malaise, l'admettait en la discutant.
« Je n'ai qu'à garder de la lumière
toute la nuit », pensa-t-elle.

Elle alla ouvrir, d'une main ferme,
le cabinet de travail de Michel,
éclaira largement la pièce, respira
la faible odeur de cuir, d'eau de
toilette parfumée, de tabac et de
papier imprimé, qui fit monter à sa
gorge un sanglot affectueux, des
larmes de regret pur, qu'il lui eût
été doux de verser longuement. Mais
elle aperçut, posés sur le bureau,
une paire de gants d'homme, en
grosse peau d'un jaune sulfureux,
les gants de Michel, et elle se mit à
suer légèrement, en regardant de
biais ces gants jaunes dont les doigts
renflés, infléchis, imitaient l'attitude
d'une main connue et vivante. Elle
baissa la tête, exigea d'elle-même de

la docilité, de l'attention, écouta les battements de son cœur, en supputant les chances qui lui restaient de passer une nuit à peu près tranquille. Elle escompta aussi la rencontre inévitable d'un pyjama de Michel accroché dans la salle de bains, et surtout la présence du lit jumeau qui serait, à côté du sien, vide et houssé de velours fauve... Depuis qu'elle avait affronté, à Cransac, un Michel à jamais couché, elle renâclait, de toute sa force, contre l'image d'un lit inacessible au repos, au plaisir, le lit de Michel.

Par orgueil, par bon sens, elle ne voulut pas céder tout de suite, et se tint debout au milieu du cabinet de travail, devant le bureau, sur lequel régnait l'ordre que maintiennent aisément ceux qui écrivent peu. Au centre, le sous-main à coins de cuir, flanqué du tampon - buvard, de crayons rouges et bleus, d'une règle en métal chromé. « Une règle, constata Alice. Qui se sert d'une règle ? Je ne m'étais jamais aperçue qu'il y avait une règle... Et ce cendrier... Comment ai-je pu lui laisser ce cendrier de brasserie... » Elle se força à sourire. Mais elle savait bien qu'elle céderait. Sa frange de cheveux noirs lui collait au front. Venu entre les lames des persiennes closes, un souffle marcha dans la pièce, et l'un des feuillets posés sur le bureau se souleva...

« C'est assez », pensa Alice. Une goutte de transpiration descendit de sa tempe. D'un effort lucide, elle bannit de son cerveau et de ses yeux le nuage qui enfante les apparitions, et sortit de la pièce sans oublier d'éteindre l'électricité.

L'escalier, qu'elle éclaira, servit d'épreuve à ses genoux tremblants. « C'est presque fini... Encore un étage... Voilà, c'est fini ». La rue était devant elle, et ses rapides passants de minuit, et sur sa tête les étoiles poussiéreuses... Elle souriait, fourbue, et appelait machinalement : « Le toutounier... Le toutounier... »

Sur le palier de l'appartement natal elle entendit la voix de Colombe qui répondait à celle d'Hermine, et elle frappa doucement, selon le rythme convenu. Colombe s'exclama : « Ah ! par exemple ! » et vint ouvrir, ensachée dans un pyjama du père Eudes, les cheveux brossés, tout humides, en arrière de son front plus blanc que le reste de son visage.

— Entre, ma toutounière ! Te voilà revenue ? Qu'est-ce qu'il y a donc ?

Alice baissa son petit nez écrasé, fit une grimace pleine de larmes :

— J'avais peur toute seule, dit-elle sans honte. Où couche la petite ?

— Dans la chambre. Dans le vrai lit. Moi, j'ai gardé le toutounier.

Alice regardait le vaste divan, ses draps bordés à la diable, son vallon au milieu, les journaux du soir sur le plaid qui servait de couverture, et la lampe du piano, coiffée pour la nuit d'un cornet de papier bleu...

Une demi-heure plus tard, elle gisait dans un sommeil mi-conscient comme celui que goûtent les animaux. Endormie, Alice déplia, lorsque Colombe la rejoignit, l'un de ses bras. Elle sut vaguement que sa longue jambe se modelait, genou fléchi, contre une jambe pareille. Un bras tâta l'air, trouva sa place protectrice en travers d'un sein. La bouche de Colombe baisa au hasard un bout d'oreille, des cheveux plats, soupira : « Guézézi, guézézi », pour éloigner les mauvais songes, et se tut jusqu'au matin.

— La scareûle!... La belle chiqueurée seuvège!... chantait une
voix dans la rue. Alice l'écoutait,
incrédule. Une partie d'elle-même
veillait, une autre partie ne pouvait
se libérer d'un songe.

« La scareûle!... C'est trop beau.
Je rêve... » rêvait Alice. « Ou bien
j'ai vingt-six ans, et Michel m'a
donné rendez-vous pour ce soir au
petit théâtre Grévin... »

Un arpège de piano, puis le réci-
tatif - préambule de *Schéhérazade*
l'éveillèrent rituellement. Au creux

du toutounier natal elle reposait seule, sous la verrière de l'atelier voilée d'un rideau vert. Unie au demi-queue par le dossier du canapé qui le flanquait, elle s'imprégnait comme autrefois de la musique propagée en vibrations dans ses lombes, ses reins, dans la cage aérée de ses poumons. Elle se sentit si sonore qu'elle rejeta ce qui restait de son rêve et tendit les bras au jour vert, à la mélodie, à la musicienne, à ses anciens vingt-six ans...

Colombe, assise au piano, fumait, un œil fermé, la tête de travers. Elle avait roulé au-dessus des coudes le pyjama du père Eudes, et manœuvrait les pédales à l'aide de ses pieds nus.

— Où est l'autre ? cria Alice.

— Fait le café, mâchonna Colombe.

Elle quitta le piano, ouvrit la fenêtre basse sous la verrière et s'accouda.

— La scareûle... La belle chiqueurée seuvège... chanta la rue.

Alice bondit, sangla la cordelière du peignoir de bain dans lequel elle avait dormi, et rejoignit sa sœur.

— Colombe! C'est la même marchande! Colombe!

— Moui.

— Une marchande des quatre-saisons peut donc vivre tant de fois quatre saisons?

Colombe bâilla pour toute réponse, et le matin de mai éclaira sa fatigue.

— Je t'ai gênée pour dormir, Colombe?

Un grand bras tomba sur l'épaule d'Alice.

— Dieu non, ma fille. Mais je

crois que j'ai trois ans de sommeil en retard. Et toi ? Bonne nuit ? Soun, soun, veni veni ben ? Comme tu es fraîche ! Je ne t'avais pas encore regardée. Alice... Je ne voudrais pas te blesser, mais... Est-ce que vraiment tu peux être telle que tu es ce matin et avoir du chagrin ?

Alice remua les épaules.

— C'est stupide, Colombe... Il y a des chiens qui meurent avec le nez frais. D'ailleurs il n'est nullement question que je meure. On n'est pas moralement responsable d'une bonne santé.

— Si, dit Colombe. Toujours un peu.

Sous le soleil qui atteignait la fenêtre, Alice clignait des paupières, en fronçant le nez et remontant la lèvre supérieure. Sa grimace découvrait ses gencives roses, ses dents

larges profondément plantées, et sur
son bonnet de cheveux noirs, coupés
à ras des sourcils, jouait un reflet
bleu. Elle s'anima brusquement.

— Songe donc, Colombe, j'ai
mené là-bas depuis trois semaines,
sans le dire à personne, une vie
impossible... Et le plus curieux c'est
qu'elle m'était possible. Les assu-
reurs, Lascoumettes, le notaire, tous
contre moi. Même Michel. Oui,
même Michel! Me laisser comme
ça, toute seule, d'une minute à
l'autre... Tout ce que tu voudras,
mais se noyer par accident à six
heures du matin, c'est suspect. Et
avant tout, ce n'est pas chic. Quelle
meute, à mes trousses! Qu'est-ce
qu'ils s'imaginaient donc? Qu'ils
m'auraient? Que je lâcherais tout
le bazar, maison et terres, pour
rien? Alors j'ai dit : on va voir. Tu

sais, Lascoumettes, c'est quelqu'un.
Mais si, tu le connais, un râblé,
qui a des vignes de coteau tant et
plus. Il voulait Cransac. Chevestre
aussi, naturellement. Mais Chevestre, non ! Vendre une terre à son
régisseur, ça fait vraiment trop
moche. Alors, Lascoumettes, je l'in-
vitais à déjeuner, pour discuter la
vente. L'armagnac, le bœuf en
daube, le lièvre pris au collet... Ah !
ma vieille... Je sais pourquoi les
veuves engraissent à la campagne.
Et tu sais, Lascoumettes, il n'aurait pas regardé à m'épouser ! A
tant faire, il prenait tout le lot, le
domaine et la femme. Enfin, quoi,
c'est fini. Seulement, hier soir, j'ai
pris en grippe et en peur le pied-à-
terre. Alors je suis revenue ici. Ce
toutounier, ce sommeil dans la même
corbeille, avec toi... Le réveil Sché-

hérazade, la « belle chiqueurée seû-
vège », tout et tout... Ce que j'en
avais besoin, Colombe... Donne-moi
encore l'hospitalité de notre temps
d'affamées...

Elle s'arrêta essoufflée, s'étira,
heurta des deux mains le cadre de
la fenêtre, ferma ses yeux envahis
de soleil et de larmes. Son peignoir
de bain s'entr'ouvrit sur un sein qui
manquait de saillie mais se tenait
bien accroché à sa base.

— Dire que j'étais comme ça,
soupira Colombe, qui l'admirait.
Ah ! pauvre Balabi... Il méritait
mieux que ce qui l'attend... ce qui
ne l'attend plus guère...

Elle repoussa en arrière son rideau
oblique de cheveux et cria vers la
chambre du fond :

— Non, mais, ce café ? Dix heures
moins le quart, bon Dieu !

Elle baissa la voix.

— Alice, tu sais ce qu'elle fait, Hermine? Elle téléphone. Ce matin à sept heures je l'entendais.

— Qu'est-ce qu'elle disait?

— Je ne distinguais pas les mots. Mais l'intonation ne me plaisait pas. Une voix plate, sans inflexion. J'ai entendu seulement : « Je vous expliquerai. Non. Non. Sous aucun prétexte ». Et puis des larmes.

Elles se regardèrent avec perplexité. Un coup de pied repoussa la porte qui séparait l'atelier du couloir. Chargée d'un plateau, Hermine entra en même temps que l'odeur du café et du pain grillé.

— Deux crème et un noir! annonça-t-elle. La concierge avait simplement gardé le lait en bas. Le beurre est invertébré, ce matin. Bonjour chéries avec un s.

Elle montra, à évoluer entre le canapé et le piano, à équilibrer le plateau sur la houle de papiers qui couvrait le bureau, une adresse, une gentillesse de jeune fille bien apprise. Les tasses emplies, les toasts distribués, Hermine s'assit en amazone sur le bras du toutounier.

— Tu as bien dormi, Alice?

Alice répondit d'un signe et d'un sourire. Elle détaillait, stupéfaite, le pyjama d'Hermine, le pantalon persan en crêpe satin rosé, la ceinture à frange de soie, l'empiècement de dentelle rousse, transparent sur des seins bruns de fausse blonde... Le pied nu d'Hermine balançait une mule rose, à grosse fleur d'argent.

— Ce qu'on arrive à faire pour trente-neuf francs, tout de même, dit Alice.

Les petites oreilles d'Hermine,

pâles sous ses cheveux d'un blond froid, s'empourprèrent. Elle jeta à sa sœur un farouche regard, ne parla plus, rassembla les tasses vides sur le plateau de laque écaillée et sortit.

— On ne peut plus rigoler, je vois, dit Alice à Colombe. Elle n'était pas comme ça. Il s'agit pourtant bien du même Monsieur Weekend ?

— Oui. Mais on ne dirait plus la même Hermine. Et tu trouves ça convenable, toi, qu'elle connaisse Madame Weekend ? Moi, je dis que quand deux femmes qui feraient mieux de ne pas se connaître se connaissent, c'est là que réside l'immoralité.

— Tu dis souvent des paroles impérissables comme celle-là, ma Colombe Noire ? Qu'est-ce que tu peux bien en savoir, toi, de l'immoralité ?

Alice laissait paraître dans son rire l'espèce de vénération irrévérencieuse que lui inspirait sa sœur. Celle-ci lui livra en retour dans son regard la profonde, la puérile honnêteté d'une âme que rien n'abaissait ni ne rendait amère.

— Ecoute, Alice, je te fais une affaire. Je te laisse la coiffeuse, donne-moi la baignoire, je suis en retard.

— Foin de la spéculation! Garde tout. Je me baignerai chez moi. Déjeuner? Ici ou dehors?

La grande Colombe ouvrit des bras découragés.

— Deux leçons au Val-de-Grâce, et mon cours de chorale à deux heures et demie, dans le fond d'Auteuil... Comment veux-tu... J'ai une crémerie chaude sur ma route.

— Et Hermine ?

— Oh ! la petite ne rentre pas déjeuner. Son travail ne lui en laisse pas le temps... qu'elle dit. Tu vas être bien seule.

— J'ai à faire, tu penses ! dit Alice d'un ton important pour cacher sa déception. C'est toujours la concierge qui monte à midi ? Je voudrais lui donner de l'argent pour le ménage.

— Tu m'en as donné hier soir.

— Oh ! pas d'histoires. Je reprends les finances. Laisse-moi faire. Je n'aime pas l'argent que j'ai. Rendez-vous ?...

— Sur le toutounier natal, six heures et demie, sept heures.

— Et Hermine ?

— N'y compte pas trop... Hermine ! cria-t-elle à pleine voix, tu dînes avec nous ?

Nulle réponse ne vint, mais au bout de quelques secondes Hermine entra, et claqua la porte derrière elle. Un désordre incompréhensible la dévastait. Sa ceinture frangée de soie traînait, dénouée, une de ses épaules, nue, échappait à l'empièce- ment de dentelle et son visage por- tait les traces d'un maquillage inter- rompu. Alice imita le sang-froid rituel de Colombe et attendit. L'ex- pression de violence qui parlait sur les traits d'Hermine fléchit, et elle s'adossa à la porte.

— Tu viens de te battre ? dit Colombe sans élever la voix.

— A peu près, répondit Hermine.

— On peut savoir, ou on ne peut pas ?

— On ne peut pas.

Elle renoua sa ceinture et couvrit son épaule nue.

— Bon, dit Colombe. Alice demandait si tu dînais avec nous ?

— Oh ! dîner... Oui, certainement.

Elle ajouta, sur un ton de politesse égarée : « Avec plaisir », et sourit machinalement, montrant les belles dents larges de la famille et des gencives d'anémique. Puis elle jeta sur Alice un regard d'enfant menacé et s'en alla.

— Hein ? dit Colombe. Tu as vu ? Bon Dieu, mon métro...

— Mais, Colombe... On va la laisser comme ça ? Nous n'allons pas tâcher de savoir... d'arranger... Je ne la reconnais plus, moi, cette petite...

La tête penchée et l'œil cligné pour éviter le fil de fumée, Colombe haussa les épaules.

— Tu peux toujours essayer. Moi, j'y renonce. Ces histoires de Monsieur Weekend, de téléphone,

de divorce, et même de lettres anonymes... Ah! la la...

Elle secoua ses doigts musculeux,
tachés de nicotine, habiles à toucher
le clavier, à pincer les cordes...

— De lettres anonymes? dit vivement Alice. Adressées à qui?

— Peut-être bien qu'Hermine en
a reçu aussi, dit Colombe avec hési-
tation. On l'a fait venir une fois...

— Venir? Où ça? Qui, où?

— Ça s'appelle un... commissaire
aux délégations judiciaires, je crois...
Là où on va se plaindre pour les
scandales de famille et les... enfin
les chantages...

— Mais ce n'est pas Hermine qui
avait porté plainte? Parle donc, il
faut tout t'arracher!

— Ces trucs-là, moi, tu sais, je ne
suis pas très versée...

— Ça se passait quand?

— Attends... au mois de Janvier.

— Elle était donc soupçonnée ? dit Alice après un silence. Mais de quoi ?

— Je ne sais pas, dit Colombe sincèrement. Ce que je sais, ce que je te dis, c'est venu après, par petits bouts, par des choses entendues au téléphone, des déductions... Tu vois bien qu'elle est inabordable... Oh ! la la, mon métro, mes deux gosses qui attendent leur leçon...

Alice sortit sans revoir la cadette, qu'une pudeur insolite verrouillait dans l'unique chambre à coucher. A travers la porte close, elle criait : « On n'entre pas, je suis nue et tatouée ! Oui, mon chou, à ce soir dîner ! Guézézi, guézézi ! Et le cinéma après ! Oui, mon chou ! »

Alice perdit patience et s'en alla, de noir vêtue, son petit voile de crêpe en travers du nez.

Elle suivit sans préméditation l'itinéraire familier. Son long pas la menait sûrement, comme dans le temps où elle allait retrouver, au sortir d'une innocente débauche toutounière de bavardage, de silence et de tabac, son mari et leur pied-à-terre. Dans le miroir d'un magasin elle vit venir à elle, de loin, une grande femme en deuil qui levait le nez en marchant et qui semblait mesurer son pas sur une musique. « Tiens, ma robe est un peu courte », jugea-t-elle. Les bas noirs moulaient une jambe noble et haute. Elle entendit la voix agréable de Michel : « Où t'en vas-tu comme ça, mon interminable ? » Le souvenir fut si vif qu'elle buta contre un guéridon de café et se meurtrit un orteil. Elle n'avait pas imaginé que l'absence de Michel, la mort de Michel, son propre chagrin pussent tarder si longtemps à s'établir en elle, à marquer un niveau constant, une certitude que n'eussent troublée ni le sommeil ni l'activité. Quel désordre... Et comment le nommer ? Tantôt une crise d'oubli obtus, total, de la disparition : « Tiens, il faudra que je fasse redoubler son pardessus d'été... » Sur quoi la mémoire s'insurgeait brutale, envoyait le sang aux joues d'Alice. Puis venaient, de très loin, épanouis sans effort, des moments d'ingratitude entière, l'indifférence d'une femme qui n'aurait jamais eu de mari, ni d'amant, ni connu Michel, ni pleuré un mort. « D'abord on ne pleure pas un mort, on l'oublie, ou on le remplace, si on ne meurt pas soi-même de son absence! » Pendant ces saisons furtives de sécheresse, elle cherchait à se faire honte d'elle-même, mais une Alice plus savante n'ignorait pas qu'une femme n'a honte que de ce qu'elle laisse paraître, non de ce qu'elle éprouve...

« Oh! c'est trop beau, ces renoncules des prés humides... » Elle ouvrait déjà son sac pour acheter une gerbe de grosses renoncules jaunes, vernissées, nourries d'eau courante; mais elle songea à sa concierge, et à la Non-Couchée, personnes de principes rigides... « Il faudrait peut-être, par égard pour ces dames, que je n'achète que des immortelles teintes? Je vais les dresser, moi... »

Pourtant elle subit l'une, puis l'autre, avec résignation. Pendant qu'elle attendait, dans l'obscurité, que l'ascenseur descendît, elle entendit, venus de la loge, des mots de blâme : « Un petit voile court comme ça, je vous dis que ça suffit à peine pour un deuil d'oncle ! » La Non-Couchée, servante intermittente et neutre, chercha avec insistance, sur le front d'Alice, le bandeau blanc des veuves, et sur ses mains les gants de fil noir. Sa sollicitude se manifesta par une seule question :

— Madame ne voudrait pas que je lui fasse un petit bouillon d'herbes ?

Alice faillit éclater de rire. Mais sa gaîté intempestive ne dura guère.,. Dans l'appartement conjugal, toutes fenêtres ouvertes au soleil de mai, elle se sentait aigre, intolérante, cherchait autour d'elle, en vain, sa peur de la veille et l'errante présence d'un

Michel désincarné. « Je voulais ranger des papiers... Quels papiers ? Les dossiers de Michel, je les connais, ils sont en ordre. Il y a le dossier de la gérance de l'Omnium-Cinéma de Saint-Raphaël, celui du Théâtre du Mail à Montpellier, celui de la Galerie Plumes et Pinceaux de Lyon, celui du Circuit Méditerranéen... Il y a les désastreux comptes de Cransac... Le bilan d'une pauvre petite vie d'homme, besogneux, un peu léger, un peu travailleur, qui était souvent en bas de la côte, et que je remontais... Moi, j'ai là mes croquis, des projets de costumes pour *La Reine Aliénor*. J'ai deux robes, deux manteaux... » Elle s'accouda à une fenêtre, se pencha sur la rue sans boutiques : « Je ne veux rien d'ici. Je n'aime rien, je ne maudis rien... Où est-ce que j'ai mal ? »

7

— Madame mange ici ce matin ?

Alice se retourna précipitamment :

— Non, non, je déjeune avec mes sœurs. Vous comprenez...

Elle s'interrompit, en proie à un découragement qui lui semblait étrange, mais que la Non-Couchée parut trouver très naturel, car elle hocha sa tête couverte de cheveux inanimés, et leva une main :

— Si je comprends !... Et ce soir, Madame mange ici ?

Alice attendait la question, et cependant tressaillit :

— Non, non... Je suis mieux chez mes sœurs, en ce moment. J'y coucherai aussi. A propos, je ne ferai pas rétablir le téléphone... Est-ce que l'eau est chaude ? Je vais prendre un bain vivement...

Un quart d'heure lui suffit. Malgré l'eau chaude, elle grelottait. Elle ne toucha pas au pyjama beige qui attendait, pendu dans la salle de bains, le retour de Michel, et elle retira avec précaution, d'un petit cercueil d'opaline, la brosse à dents qui voisinait avec celle de Michel. Puis elle emplit une valise, jeta sur son bras un manteau noir, et pour être bien sûre que rien ne la retiendrait, elle tint grande ouverte la porte d'entrée, pendant qu'elle commettait la Non-Couchée à l'entretien de l'appartement.

« Je supporte que Michel soit mort, et je flanche devant des choses sans importance, devant des gens sans venin personnel, — encore n'est-il pas démontré que la Non-Couchée ne dispose d'aucun venin personnel... Le toutounier... Vite, le toutounier... »

Elle ferma, d'attendrissement, ses

grandes paupières. « Le toutounier...
Le gîte, la caverne, ses marques
humaines, ses traces humbles contre
les murs, son incurie qui n'est pas
sale... Personne n'y a été très
heureux, mais personne ne veut le
quitter... » Elle se souvint qu'elle
déjeunait seule, et n'eut envie
d'aucun restaurant. Avant de rega-
gner l'atelier, elle acheta sur sa
route des fenouils frais, une boîte
de thon, des œufs à la coque, du
fromage blanc et un quart de champagne. Mais la faim impérieuse qui
la mordait au creux de l'estomac
compromit sa dînette. Pendant
qu'un œuf dansait dans l'eau bouil-
lante, Alice mangeait le thon sans
pain, le fromage poudré de poivre,
et elle croquait les fenouils en guise
de dessert lorsqu'elle s'avisa qu'elle
n'avait pas débouché la petite bou-

teille de champagne. Elle la rangea
dans le « padirac-deux », qui était
le placard de la cuisine. Sur l'évier,
une paire de bas de soie trempait
dans une cuvette émaillée. « Les
bas de Colombe, ou d'Hermine ?...
Plutôt Hermine, ils sont fins... » Elle
les savonna vivement, les coucha
sur un essuie-mains. Elle chanton-
nait tout bas, les lèvres fermées sur
sa cigarette. « Et le café ? Oublié le
café ! Je vais aller le prendre en face ».

Elle entra dans la chambre où
couchait Hermine. « C'est un peu
désordre, mais ça sent bon ». Elle
rangea une paire de chaussures, le
pyjama de crêpe-satin, un démêloir.
Le jour triste, venu d'une courette,
devenait gai en traversant des
rideaux roses à fleurs noires. « C'est
plus chic que du temps du père
Eudes, constata Alice, mais je me

plais mieux dans l'atelier. Cette
chambre, elle est comme Hermine,
pleine d'un tas de choses que je ne
connais pas ».

En chantant à mi-voix : « *Café, li-
queur enchanteresse...* », elle se recoiffa
du petit chapeau de deuil et descendit. Au second étage une femme
haletante, qui montait en courant, se
jeta contre elle et s'excusa.

— Hermine !
— Oui...
— Qu'est-ce qu'il y a ?
— Rien... Tu permets ? Je monte..

Hermine trébucha et Alice ferma
son bras solidement autour d'elle.
Le petit béret noir épinglé d'une
rose d'or tomba ; Hermine ne se
baissa pas pour le ramasser.

— Je monte avec toi. Tiens la
rampe, dit Alice. Tiens la rampe,
je te dis.

Elle ramassa à tâtons le béret de velours, fit entrer sa sœur dans l'atelier, la poussa sur le divan de cuir. Tête nue, le front envahi par ses cheveux blonds, Hermine n'avait de singulier que sa pâleur, et le mouvement incessant de ses prunelles, qui allaient de droite à gauche, de gauche à droite comme si elle lisait.

— Tu as bu ? demanda Alice.

Hermine dit « non », de la tête.

— Tu as mangé ? Non plus ? Tu n'es pas blessée ?

Elle se saisit rapidement du sac de sa sœur, n'y trouva aucune arme.

— Attends une minute.

Elle apporta le quart de champagne, emplit à moitié un verre.

— Tiens. Si, si, bois. Le champagne tiède est le roi des vomitifs... Qu'est-ce qui t'arrive, ma petite fille ?

Hermine écarta le verre de ses lèvres mouillées et dévisagea sa sœur:

— Je ne suis pas ta petite fille! J'ai tiré sur Madame Lac... sur Madame Weekend!

— Comment?

— J'ai tiré sur Madame Weekend! Combien de fois faut-il que je le répète?

Elle vida le verre, le reposa. Alice baissa la tête, frotta ses doigts qu'un fourmillement froid engourdissait.

— Elle... elle est morte? demanda-t-elle.

Hermine haussa furieusement les épaules.

— Penses-tu! Je suis bien trop maladroite! Non, elle n'est pas morte. Pas même blessée!

— Mais on sait... On va venir t'arrêter? Hermine, c'est vrai, ce que tu me dis? Ma Mine...

Hermine se mit à pleurer en gei-
gnant comme les enfants :

— Non, on ne va pas venir
m'arrêter... Je l'ai ratée... Elle s'est
fichue de moi... Elle m'a dit que je
pouvais rentrer chez moi... qu'elle ne
porterait pas même plainte... que je
n'étais qu'une imbécile... Elle m'a
dit aussi que j'avais le feuilleton dans
le sang... Oh! Alice...

Elle pressa ses deux poings sur
ses yeux avec rage.

— Il n'y avait pas de témoins ?

— Non. Pas pour commencer.

— Et pour finir ?

— Pour finir...

Hermine s'interrompit, fit quelques
pas dans l'étroit espace serré entre le
demi-queue, la table-bureau et la
fenêtre. Les mains à plat sur ses
hanches, elle se laissait aller, le dos

bombé et la poitrine creuse, comme
font les mannequins fourbus.

— Je ne vois pas pourquoi je te
raconte tout ça, dit-elle avec brus-
querie. Enfin... Pour finir, il est
entré, Léon... Monsieur Weekend.
Comme je ne devais pas me trouver
là à cette heure-là, il a tiqué. Alors
Madame Lac... Madame Weekend
lui a dit que j'avais demandé à
quitter le bureau parce que j'étais
souffrante. Avec la tête que j'avais,
il pouvait le croire.

— Et le revolver?

— Elle l'a rangé dans un tiroir.
Quelle camelote... Il ne marche pas.
Tu penses la touche que j'avais, avec
ça au bout du bras qui faisait tic-
tic-tic quand je voulais tirer...

Elle s'en fut regarder dans la rue
d'un air distrait, en mangeant le
rouge de ses lèvres.

— Mais elle, insista Alice, quelle figure est-ce qu'elle...

— Elle ? Mais aucune. Elle m'avait tordu le poignet...

Elle releva un peu le bord de sa manche, le rabattit.

— Et elle avait ramassé le revolver. C'est tout. Oh ! tu ne la connais pas...

— Tu disais que Monsieur Weekend est entré à la fin ? Quand tu es partie, qu'est-ce qu'il a fait ?

— Rien, dit Hermine. C'est un homme, dit-elle avec une tranquillité amère. Tu as déjà vu un homme faire un geste au moment précis où tu attends qu'il le fasse ?

— Pas souvent, dit Alice. Mais j'ai vu des femmes faire des gestes, comme tu dis, bien idiots... Tu ne vas pas prétendre...

— Silence, mon petit, silence. Chacun son enfantillage.

107

Etonnée, l'aînée leva les yeux sur la grande jeune femme noire qui lui ressemblait sauf les cheveux blonds, une maigreur anxieuse, et qui de leur vie n'avait songé à l'appeler « mon petit », sur un ton détaché et supérieur. Elle se sentit soudain fatiguée sans motif, étendit ses jambes sur le divan, souhaita très fort une tasse de café brûlant et la présence de Michel, le frivole silence de Michel après déjeuner, le froissement des journaux illustrés que feuilletait Michel...

— Ecoute, Hermine...

D'un mouvement de bras, sa cadette repoussa ce qu'elle allait dire.

— Non. « Ecoute, Hermine », c'est l'équivalent du « vois-tu, mon petit » que le père expérimenté verse sur son fils. Tu n'es pas expérimentée, Alice.

— Autant que toi, toujours...

— Moins que moi. Tu n'as jamais entrepris le pire des travaux des femmes, qui consiste à s'assurer un homme. Nous quatre, nous avons trimé plus que quatre, nous avons ri un peu moins que quatre, et puis toi, tu n'as eu qu'à te laisser tomber dans les bras de Michel. Franchement, tu ne t'es pas foulée ! Bizoute, je n'en parle pas. Elle est perdue.

Elle s'arrêta un moment à la fenêtre, frissonna visiblement et jeta sur ses épaules le plaid à grands carreaux, — le « dipla » — qui complétait, la nuit, la literie du divan. Aux yeux d'Alice, Hermine ressuscita ainsi l'Alice de vingt-cinq ans qui guettait, drapée dans le même plaid, près de la même fenêtre entr'ouverte, les trois coups de trompe rauques d'une misérable petite auto poussive, menée par Michel...

— L'amour, reprit Hermine, ça n'a jamais besoin de se fouler, quand il est réciproque. Tu n'avais personne à vaincre, entre toi et Michel.

— Mais, dit Alice, ton histoire avec Monsieur Weekend, ce n'est donc pas une histoire d'amour ?

Hermine secoua ses fiévreuses épaules, serra ses joues chaudes entre ses mains.

— Si... Non... Tu dois bien penser...

— Pardon, coupa Alice. Je ne dois pas « bien penser ». Les suppositions gratuites n'ont jamais fait partie de notre code. Pas plus que l'inquisition outrageante. Je t'aurais envoyée baller si tu avais fourré ton nez, le plus joli nez et le moins

annamite de la famille, dans mes
affaires de cœur... Et personne n'a
entamé le silence, pas très aimable,
que tu gardais sur Monsieur Weekend, que tu peux garder encore
maintenant.

— Il en est bien temps, dit Hermine en riant tristement. Léon...
Monsieur Weekend, c'est... c'est ma
chance, qu'est-ce que tu veux que
je te dise... C'est mon but, un but qui
s'est offert, c'est...

— Mais il est marié, Hermine!

— Mon vieux, ce n'est pas ma
faute. Tu parles comme une femme
d'avant le divorce.

— Mais est-ce que tu l'aimes?

— Oui... Oui. Je ne pense qu'à
ça. Depuis deux ans je réfléchis, je
m'applique, je suis prudente, je
m'étudie, je me fais une terrible édu-
cation... terrible... Je suis même

jalouse... Si ce n'est pas de l'amour, fichtre, ça le vaut bien !

L'âpreté quitta son visage de trente ans, elle pencha vers Alice un sourire de jeune fille coquette :

— Tu sais, il ne faut pas croire qu'il est si mal que ça !... D'abord, il n'a que quarante-cinq ans, et...

Alice éclata, l'interrompit :

— Mais, petite imbécile, on dirait que tu ne te doutes pas que tu viens de tirer sur sa femme, et que tout est fichu !

— Chut ! dit Hermine en levant un index sagace. Peut-être pas... Peut-être pas...

Déjà elle brillait d'énergie. Recolorée, elle se débarrassa du plaid, arpenta, entre la fenêtre et le piano, la case étroite où elles avaient grandi nombreuses.

Puis elle se laissa tomber sur le

vieux divan. Molle et pâlie, les
lèvres sèches, sa faiblesse l'enva-
hissait jusqu'aux yeux. Elle ferma
les paupières, rejeta par les narines
un long souffle.

— Je ne sais pas si je déraille,
murmura-t-elle, mais il me semble
que ça doit être bien consolant de
ne perdre un homme que parce
qu'il meurt.

— C'est une opinion généralement
accréditée parmi les femmes qui
n'ont encore perdu ni leur mari, ni
leur amant, dit Alice avec froideur.
Est-ce que je peux savoir ce que tu
vas faire, maintenant ? Je vais
prendre un café en bas.

— Moi aussi.

Debout, la couleur de ses joues
changea, et elle s'accota au piano.

— Ça va passer... Ah !... avant
tout... Une minute, veux-tu ?

Elle s'accouda sur le demi-queue, serra à deux mains ses tempes :

— Il était, voyons... midi moins le quart quand je les ai laissés ensemble... Elle, elle déjeune avec sa fille chez elle... Mais lui, il mange presque toujours au réfectoire de ses employés. S'il y a déjeuné aujourd'hui, le déjeuner finit à... une heure, une heure dix... Quelle heure, Alice ?

— Une heure et demie.

— Ou il est monté à son bureau, ou il est allé prendre l'air. Elle lui a tout dit, ou bien elle ne lui a pas tout dit ? Laisse, je cherche à le voir..

Elle remplissait âprement sa mission télépathique, regardait à travers les murs et la distance, en appuyant le bout des doigts sur les globes de ses yeux.

— A mon avis, elle lui aura tout dit. Avec moi, elle a été d'un calme !..

Mais après, elle aura eu la détente, et il en aura entendu! Dans ce cas-là, il est à son bureau, et il attend que je lui téléphone! dit-elle d'une haleine.

A grands pas précipités et incertains, elle courut vers sa chambre, où Alice entendit grincer le cadran de l'automatique.

— Allo... allo... Ah... Oui, c'est moi... Comment?... Oui, je pensais bien... Quoi?... Oh! ça m'est égal, n'importe où... Entendu.

Elle revint, transfigurée. La bouche orangée, deux couleurs de poudre sur le visage, et les yeux gris-verts pleins d'une pensée enragée, blonde avec effronterie, belle à cause d'une grande bouche et d'un petit nez, elle remplit Alice d'étonnement.

— Mâtin, la belle meurtrière!...

Hermine accueillit le mot avec un

sourire distrait, en fermant son gant.

— Alors?... Tu l'as eu?

— Eu.

— Tout est comme tu pensais?

— Oui. Elle lui a parlé.

— Tout de même, ma Mine, si tu l'avais tuée... Où serais-tu? Je me le demande...

— Tu n'as aucune imagination.

En étendant les bras elle sembla soudain s'envoler, s'ouvrir en croix, grandir :

— Ah! cria-t-elle, il attendait, à côté du téléphone! Il a fait son petit « ha-ham, ha-ham » d'homme embarrassé, il a bafouillé Dieu sait quoi, il a dit « trois heures », il a à peine parlé du machin, de l'outil... tic-tic-tic...

Le bras raide, l'index plié, elle visait le mur. Elle laissa retomber sa main, regarda sa sœur tendrement :

— Tout recommence, voyons, Alice! La belle vie intenable va recommencer! Ah! cette fois-ci, je te jure bien...

Elle se blottit contre sa sœur, avec un tremblement de biche. Alice sentit au long de son flanc la saillie d'une hanche amaigrie :

— Viens, ma pauvre petite fille. Viens te réconforter.

Dans l'escalier, Hermine légère descendait en courant. « Qu'est-ce qu'elle va devenir? » se demandait Alice. « Si le revolver avait fonctionné... Qu'aurait dit Michel? Depuis que je suis ici, ai-je eu le temps seulement de penser à Michel? Ai-je même le désir de penser à Michel? »

Elle se hâtait derrière sa sœur, respirait son parfum, projetait de lui parler avec patience et autorité. Mais

elle savait qu'elle n'en ferait rien, et
un peu envieusement, par compa-
raison, elle se trouvait dénuée.

L'euphorie, qu'Hermine gagnait
à boire du café brûlant, passa vite.
Dès que les aiguilles d'un coucou en
faïence moulée, au mur du *Café de
la Banque et des Sports*, marquèrent
deux heures quarante-cinq, elle perdit une partie de son éclat.

— J'aimerais te voir manger autre
chose que cette brioche en éponge,
lui dit Alice.

— Penses-tu... Le temps que j'ai
été mannequin chez Vertuchou, les
mannequins de métier disaient toujours qu'il vaut mieux, pour une
grande présentation, être à peu près
à jeun que de se faire une barre en
mangeant beaucoup. Mais la boisson
ne comptait pas... Et hop! le café
tiède... Et hop! le petit champagne

demi-sec... Avec l'énervement et la fatigue, tout ça rebroussait chemin, je te prie de le croire, et sans traîner.

Elle se tut, se mira rapidement, se leva.

— J'y vais.

Elle tendit sa main gantée à Alice, en regardant ailleurs.

— Tu ne veux pas que je te conduise ?

— Oh ! tu sais... Ce n'est guère la peine... Et puis, si, dépose-moi.

Elle donna au chauffeur du taxi l'adresse d'un bar de la rue Paul Cézanne. Durant le trajet, elle fronçait les sourcils et mordait le dedans de ses joues d'un air appliqué, comme si elle repassait une leçon. Alice eut le temps d'entrevoir, par la porte ouverte du bar, qu'un homme se levait précipitamment pour accueillir Hermine.

L'après-midi lui fut longue. Vers
cinq heures elle se résigna à retour-
ner chez elle, où elle ouvrit les
tiroirs d'un bureau, d'une commode.
Elle retrouva, bien cachés, deux ou
trois pneumatiques qu'elle détruisit
avec une froide négligence : « Il y
avait là de quoi faire de la peine à
Michel, s'il les avait trouvés... Toujours cette histoire Ambrogio! Je
n'ai donc pas été une bonne femme ?
Mais si, mais si. Du point de vue
conjugal, je valais Michel. Aucun
de nous deux ne s'imaginait qu'il
trahissait l'autre. Comme on est
vilains sans le savoir... »

L'œil sur la fenêtre ouverte, elle
guettait l'approche du soir et ne
voulait pas que l'ombre la surprît.
Elle se gardait aussi de s'abandonner
à la frénésie sentimentale qui sourd
d'un passé récent, provoquée par

des feuillets couverts d'écriture, un vieux parfum faible, la date d'un timbre postal. Dès qu'elle s'aperçut qu'elle tremblait légèrement, elle cessa de consulter des liasses, d'entr'ouvrir des enveloppes. Elle se lava les mains, reprit le petit chapeau à voile court.

« On ne m'attend nulle part, rien ne me presse... » Le mot attente enfantait une insistante image : Hermine et l'homme entrevu s'avançant l'un vers l'autre.

Dans la rue, elle ralentit son long pas dès que parurent aux vitrines les premières lumières. Les papeteries, les boutiques de fruits, les confiseries ranimaient en elle l'habitude, le besoin de «rapporter quelque chose pour Michel », quelque chose d'agréable, de superflu, de sucré... « Je peux aussi bien rapporter quelque chose pour Colombe... Et pour Hermine... Mais Hermine et Colombe sont où les appelle leur urgence à elles. L'une travaille, et sert son ami pauvre, chargé d'une besogne et d'une femme écrasantes. L'autre est en plein combat contre un homme dont elle cherche à faire un allié... Et moi... »

Elle sentit venir l'envie d'être pusillanime, et claqua de la langue à la manière de Colombe : « Tt... tt... tt... » Elle acheta des fruits, du bœuf fumé, de petits pains poudrés de grains de fenouil, des gâteaux. « Si elles sont fatiguées, ce sera bon de dîner là-haut, pieds nus, comme autrefois... Oui, mais autrefois nous étions quatre, même cinq, en comptant papa... Pain chauffé au poêle, mortadelle et fromage, arrosés de cidre... »

Un frisson de crainte physique, rétrospective, lui apporta l'image d'une ancienne nuit de Noël : quatre filles Eudes en pongée vert d'eau, engagées comme orchestre dans un café à terrasse, de cinq heures du soir à sept heures du matin. « Nous n'osions pas manger, je me rappelle, de peur de rouler endormies par terre. Avec mon violoncelle, je faisais office plutôt de contrebasse : poum... poum... Tonique et dominante, tonique et dominante... Hermine, qui avait quinze ans, a vomi tout ce qu'elle a bu, et les gens applaudissaient parce qu'ils la croyaient saoule. Colombe voulait tuer un type à coups de chaise... Et Bizoute... Pauvre merveille de Bizoute, elle posait dans ce temps-là pour des « photos d'art », avec une lyre, avec un missel, avec un lion gâteux, avec

123

des ombres géantes de mains sur le corps... ».

Elle eut un mouvement d'amitié cependant pour quelques soirées du passé qui rassemblaient, au creux chaud du toutounier, les quatre filles Eudes dans leur précaire sécurité, la plus belle parfois nue, la plus délicate sous un long châle vénitien... « C'est loin... C'est détruit. Maintenant... Maintenant Michel a déjà cessé de partager mon sort, et Hermine vient d'essayer de tuer Madame Weekend... ».

Elle procéda pensivement aux apprêts d'un en-cas, disposa le couvert et la petite nappe rose usée sur le bureau, les assiettes de rechange sur la queue du piano... « Comme d'habitude, comme toujours... Tiens, j'en mets une de trop, nous ne sommes que trois... Quatre filles

telles que nous, c'est dont si difficile
à caser, à planter solidement quelque
part ?... Ni méchantes, ni bêtes, ni
laides, un peu cabochardes seulement... Sept heures. Où peut être
Hermine ? » Personne n'avait jamais
demandé : « Où peut être Colombe ?»
Colombe l'intègre, l'éreintée, l'infa-
tigable, n'était-elle pas toujours,
fumant et toussant, sur le lieu de son
devoir ?... La toux connue résonna
derrière la porte, qu'Alice ouvrit.

— Que je suis contente, ma toutounière, tu rentres tôt ! Pas trop
claquée ? Mets-toi là, étends tes
grandes pattes. Comment est le
Balabi ? Il viendra me voir ? J'en ai,
à te raconter ! Rien de cassé, par
chance et hasard. Mais sais-tu ce
qu'elle a fait, Hermine ?

En peu de mots elle résuma l'atten-
tat :

— ... Heureusement le revolver enrayé, ou plutôt, je crois, déchargé... tic tic tic... A trois heures, Hermine retrouvait Monsieur Weekend au bar... »...

Elle essuyait en parlant ses mains qui venaient de tailler la salade.

— Comme nouvelle, si tu n'es pas contente avec ça !

— Oui... dit Colombe d'un ton vague. Evidemment.

Etonnée, Alice regarda de plus près, sous le bandeau de cheveux, la belle figure d'homme triste que la fatigue extrême infligeait à sa sœur aînée.

— Tu le savais, Colombe ?

— Quoi ?... Non, je n'en savais rien. Qu'est-ce que tu veux... C'est le risque banal... Un des risques.

— Qu'est-ce que tu as, Colombe ? Tu n'es pas bien ?

Les yeux las et clairs se reposèrent sur les siens.

— Si... mais je ne me sens pas à mon aise... C'est Carrine, figure-toi..

Alice jeta son essuie-mains sur le piano avec irritation.

— Allons, bon! Carrine, maintenant! Quoi encore, avec Carrine? Vous êtes fâchés? Sa femme est morte?

Colombe secoua son front patient.

— Il n'en est malheureusement pas question en ce moment. Non. On propose à Carrine la saison musicale à Pau, la direction de l'orchestre, les festivals de Biarritz, et une création d'opérette à Biarritz, primeur, avant Paris. Et des appointements...

Elle siffla, passa sa grande main dans ses cheveux, découvrit son front blanc.

— En outre, il paraît que l'atmos-
phère sédative du pays basque, pour
sa femme, serait excellente... Sédative! s'écria-t-elle. Sédative! Je t'en
collerai, moi, du sédatif!

Elle toussa, et sur ses traits fleu-
rirent une rougeur, une animosité
passagères.

— Il s'absenterait combien de
temps? demanda Alice après un
silence.

— Je compte six mois. Six mois,
soupira Colombe. Moi qui me nour-
ris déjà de miettes... Oh! pardon,
ma petite fille...

Elle saisit la main d'Alice, la
pressa contre sa bouche sèche, puis
contre sa joue.

— Quand ce n'est pas Hermine,
c'est moi qui te blesse... Depuis ton
arrivée tu ne fais que te cogner à des
meubles maladroits... D'ailleurs...

Elle leva sur Alice son regard ingénu :

— D'ailleurs, toi, ce n'est pas la même chose. Personne ne peut te prendre, ni te reprendre ce que tu as eu avec Michel.

— Je sais. Hermine a déjà eu la prévenance de me faire remarquer les avantages de ma situation.

Des deux mains, l'aînée se suspendit aux bras d'Alice, l'assit sur le vieux canapé, l'enlaça.

— Ma lolie ! Mon guézézi tout bleu ! Mon petit boudi ! Tu vois, tu vois comme on te brutalise ! Mon picouciau...

Elles pleurèrent un peu, reconquises au vocabulaire de leur enfance, au besoin de rire et de répandre des larmes. Mais un tel abandon ne leur dura guère. Colombe retourna à son souci d'amoureuse humble.

— Tu comprends, mon guézézi, si Carrine part, il faut qu'il se décide demain... C'est déjà très chic à Albert Wolff d'avoir non-seulement cédé le poste, mais désigné Carrine et manigancé cette affaire...

— Tu partirais aussi ?

Les yeux honnêtes glissèrent, essayant de mentir.

— Je ne vois pas comment je le pourrais... Le premier mouvement du Balabi a été pour m'offrir un... une sorte de secrétariat très étendu... Tout un boulot très honorable, et technique. Tu penses, depuis qu'on travaille ensemble, je ne lui suis pas inutile, ajouta-t-elle avec fierté. Mais là-bas, quel joli petit enfer, la femme malade, le chantage à l'angine de poitrine... Et puis, partir, ça veut dire avoir de quoi partir...

Les doigts de Colombe, rouillés

par le tabac, pincèrent puis reje-
tèrent le bord du feutre usagé qu'elle
avait posé à côté d'elle.

— Tu oublies que j'ai de l'argent,
Colombe, dit Alice après un silence.

Elle attendait un tressaillement,
peut-être un cri. Mais depuis trop
d'années Colombe mesurait aux ten-
tations, dans sa vie, une place misérable. Elle accueillit l'offre avec un
sourire renseigné et incrédule qui
lui creusa un grand pli dans chaque
joue. Elle caressa l'épaule d'Alice et
se leva.

— Laisse aller. Jusqu'à demain.
Le Balabi est forcé de répondre
demain. A cette heure-ci, il est dans
son corridor-de-travail. Il marche
comme ça et comme ça... Il a ses
deux grandes mèches bouclées qui
lui dansent sur le nez... Il fait son
œil de bélier myope, comme ça, et

il fredonne sa petite incantation suprême : « Me voilà frais... Me voilà frais... ».

Elle imitait la démarche du bien-aimé, ses épaules abattues, sa voix.

« Elle aussi, elle voit à travers les murailles, comme Hermine, pensa Alice. Comment se fait-il que j'aie perdu ma seconde vue, moi ? Un souvenir, un regret, un homme mort, c'est donc si peu de chose, à côté de leur passion de l'avenir ? Ça les quittera... » Elle cacha un petit sourire, qu'elle effaça vite, et dont elle désira se punir : « Au fond, nous avons honte, toutes, dès que nous n'avons plus un homme vivant dans notre vie... »

— Tu l'aimes toujours bien, hein, Colombe ?... dit-elle à mi-voix.

Colombe tourna vers elle ses yeux d'honnête homme.

— Bien. Très bien, je t'assure. Il est sans défense, tu le connais, ajouta-t-elle doucement.

Elle s'assombrit, pêcha dans sa poche une cigarette en accordéon :

— Je sais bien que nous avons toutes cette naïveté de croire qu'en aimant un homme nous le détournons d'une femme plus mauvaise que nous...

— Laisse ta sisibecque, et viens manger. J'ai deux petites topettes de ta sale bière noire sirupeuse sous le robinet. On ne va pas attendre l'autre folle.

— Chouette, du stout! s'écria Colombe. Oh! d'abord, et toute affaire cessante...

Elle dénoua, secoua ses longs souliers plats, retira ses bas, et se mit d'aplomb sur deux grands pieds nus, blancs et parfaits, secs comme les

pieds du crucifié, qu'elle regarda
amicalement.

— Ils en ont encore fait, du chemin! Ce soir, avec le Balabi, je l'ai
reconduit, et puis il m'a reconduite,
jusqu'ici, à pied. Eux aussi, je vais
les mettre sous le robinet... J'ai
monté *Paris-Soir*, tu le veux?

Elle gagna la salle de bain, où
Alice l'entendit siffler. « Elle siffle...
Elle partira ». Les yeux d'Alice,
couchée sur le toutounier, quittaient
le journal ouvert, suivaient les
mêmes chemins que la veille, s'arrê-
taient aux mêmes repères, mais le
plaisir, hier retrouvé, se mêlait déjà
de critique. « Je ne pourrais plus
tolérer cet arbre noir, peint par la
fumée derrière le tuyau du poêle.
Et puis ce bureau et sa paperasserie..
Michel et moi, nous ne supportions
pas un certain genre de désordre, ce

que j'appellerai le snobisme du désordre. Demain je m'attaque à ce bureau... » Par la fenêtre, ouverte au-dessous de la verrière, pénétrait un souffle de mai. Dans la rue, la portière d'un taxi claqua, fermée à toute volée. « Je parie... Ça ressemble bien à la main d'Hermine... ».

— C'est Hermine, confirma Colombe, qui rapportait de sa douche rapide une odeur simple de lavande.

Elle noua la corde de son peignoir de bain, ouvrit la porte d'entrée et cria dans le couloir :

— Je sais tout! *Il* te résistait, tu l'as assassinée!

Un éclat de rire enroué lui répondit, et Colombe s'en fut pieds nus à la rencontre de sa sœur, avec qui elle échangea des exclamations, des « Tu vas fort! » des chuchotements et des rires. « Elles sont folles », pensait

Alice qui n'avait pas bougé. « Ou
bien c'est moi qui ai perdu le ton
de la maison, et la notion du comique
que comporte un assassinat raté ».
Les deux sœurs rentrèrent, bras sur
bras. « Depuis mon arrivée, je ne les
ai pas vues si bien ensemble, ni si
jolies, d'ailleurs... »

Belle dès qu'elle sortait de l'eau
et qu'elle éparpillait ses cheveux
sombres, Colombe sous son peignoir
de bain bleu avait un rayonnement
majestueux qu'Alice nommait « la
gueule de l'archange en bombe ».
Elle soutenait Hermine qui penchée
semblait fondre et rapetisser,
avouant ainsi qu'elle touchait au
terme de ses forces. La robe et le
béret noirs, piqués chacun d'une
rose d'or, s'étaient poudrés de pous-
sière. Mais un bonheur coléreux
isolait, de son corps vaincu, le visage

d'une femme qui ne renonçait pas à triompher. Alice se souleva au-devant d'elle, questionna brièvement :

— Alors, Hermine ?...

— Ça va.

— Qu'est-ce qui va ? Il divorce ?

Le trouble reparut sur les traits de la cadette. Elle se laissa choir au creux de la grande ornière du toutounier.

— Pas si vite ! Attends... L'imbécilité que j'ai commise a l'air de tourner pas mal... J'ai acquis des certitudes, mes petits enfants. L'horizon s'éclaircit singulièrement !

— Sors un peu de cette bouillie météorologique et raconte en clair, bougonna Alice.

— D'abord, je veux des égards, geignit Hermine. J'ai deux cocktails dans le corps pour tout potage, et

deux sandwiches au cresson...
L'homme-qui-me-veut-du-bien prétendait me faire boire de l'anisette
à l'eau, et manger des éclairs au
café... A qui se fier?

Elle riait en parlant et se défaisait
de ses vêtements sans se lever,
glissant hors de la robe étroite,
quittant une petite culotte en mailles
de soie, une ceinture à jarretelles
roses, de longs bas mordorés... Au
moment de rejeter les épaulettes
d'une très courte combinaison, elle
s'arrêta, serra ses bras contre ses
seins et regarda plaintivement ses
deux sœurs.

— Celle de vous deux qui irait me
chercher ma grosse robe de chambre,
je lui baiserais les pieds...

Elle grelottait de froid nerveux, et
d'une sorte de timidité. Pendant que
Colombe allait chercher la robe,

Alice lut, dans les yeux pâles et pathétiques d'Hermine, l'envie humble, qu'elle n'encouragea pas, de se réfugier contre elle.

Une douillette de laine fine, à dessins de piqûres ouatinées, s'abattit sur les épaules tremblantes et son reflet rose monta aux joues dont le fard, depuis le matin, avait perdu sa délicate couleur sous des couches de poudre superposées.

— Restez là, vous deux, commanda Alice. Il vous est arrivé tant de choses, depuis ce matin...

Elle vaqua, seule, à l'ordonnance du petit repas, demanda par téléphone du vin, du pain et de la glace à la brasserie voisine. Elle s'affairait sans ennui, se sentait aise d'échapper à une nouvelle édition de « l'affaire Weekend », et aux considérations timorées de Colombe. Ses deux

sœurs d'ailleurs ne firent pas mine
de l'aider. Allant et venant, elle
recueillait par bribes leurs récits
minutieux de femmes à qui « il est
arrivé tant de choses ».

— D'un côté, disait Colombe,
mon Balabi se sentirait plus libre, à
Pau, et moi aussi, puisque le travail
nous réunirait obligatoirement...
Il y aurait là une sorte de légiti-
mation de notre amitié, tu me
comprends...

Hermine approuvait par des ho-
chements de tête énergiques, faisait
« Mm... Mm... » à temps égaux.
« Et l'autre qui ne s'aperçoit même
pas qu'Hermine pense à autre chose, »
raillait Alice. Elle débouchait le vin,
concassait la glace, versait dans une
carafe le stout incoercible et son
écume beige...

— Je ne prétends pas, s'écriait

Hermine, que mon geste ait été un coup de génie, mais...

Alice essuyait les verres et haussait les épaules. « Mais si, mais si, elle est près de le prétendre ! Si l'affaire tourne bien, elle ira même jusqu'à dire qu'elle n'avait pas chargé le revolver... » D'un effort, elle s'éloigna de son persiflage de nouvelle pauvre, frappa dans ses mains et fit retentir l'appel consacré :

— A table ! à table ! à table !
    Mangeons ce godiveau
    Qui serait détestable
    S'il n'était mangé chaud ! »

L'urgence de se nourrir les tint d'abord silencieuses. De l'une à l'autre passaient de brefs sourires d'entente, un remerciement à Alice, un récri qui saluait le pétillement du vin et la fraîcheur du beurre nageant parmi les icebergs, dans

l'eau glacée. La fumée des cigarettes, qui ne s'éteignaient aux doigts
de Colombe que pour se rallumer
aux lèvres d'Hermine ou d'Alice,
gâtait le goût et l'odeur des mets.
Mais depuis l'adolescence les trois
sœurs ne s'en apercevaient plus.
Rassasiées, elles burent encore à
petites gorgées, émiettèrent des gâteaux, et Colombe, comme Hermine,
commença de changer d'expression. L'archange en bombe devint un
archange soucieux, et Hermine gratta
névropathiquement, sur l'ongle de
son pouce, le vernis rouge vif.

— Tu n'as pas de café ? demanda-
t-elle à Alice.

— Tu ne m'en avais pas com-
mandé.

Hermine tendit pour s'excuser son
bras mince hors de l'épaisse manche
rose.

— Mais, ma Toutounière, c'est d'une simplicité enfantine ! Colombe, je parie que tu veux du café ?... Oui ? Colombe, siffle !

Colombe, assise sur le bord de la fenêtre ouverte, modula un long sifflement, terminé par trois notes détachées. De la rue monta un signal identique.

— La-Banque-et-les-Sports nous monte trois filtres. dit Hermine. C'est commode. Comme tu vois, on a mis le confort. Je suis follement humiliée, parce que je n'ai jamais pu siffler. Chez Vertuchou, les mannequins disaient que celles qui ne savent pas siffler c'est des femmes froides !

Elle tomba dans un inexplicable accès de fou rire, puis se tut jusqu'à l'arrivée de la grosse cafetière brune. Paresseusement, Colombe égoutta les trois verres dans le seau à glace, avec une indifférence de vieux garçon, et les emplit de café tiède. Hermine, reprise de souci, répondait : « Non, pas de sucre... merci... Oui, deux morceaux... » à contretemps. Dans la coupe de verre noir s'entassaient les cendres et les bouts de cigarettes.

— Tu bois trop de café, Hermine.

— Laisse-la, va, dit Colombe. Sisibecques et café c'est le pain des filles Eudes. Il leur est arrivé tant de choses !

— Pas à moi, dit Alice. Du moins... pas aujourd'hui.

Ses deux sœurs levèrent sur elle un regard gêné. « Elles avaient sans doute oublié que Michel est mort » pensa-t-elle. « Ce n'est pas à moi de le leur reprocher. »

— Mes enfants, nous voilà à un

tournant de notre histoire... Hermine, je voudrais tellement savoir ce que tu vas... ce que tu crois que tu vas faire...

Hermine baissa le nez, serra la bouche.

— Ne t'en fais pas plus qu'il ne faut, dit-elle sans abandon. On ne t'a pas posé de questions, quand tu as quitté l'équipe.

— Ça ne se ressemble pas, Mine. J'épousais Michel, et puis c'est tout.

— Eh bien, mets que j'épouserai Léon... et puis c'est tout.

— Mon Dieu, petite, ce n'est pas un ton de bonne amitié, ça...

La sonnerie du téléphone l'interrompit et atteignit Hermine si violemment qu'elle ne s'élança pas tout de suite. Elle demeura immobile, sa robe de chambre ouverte sur sa gorge, les yeux fixés sur la porte de la chambre. Puis elle bondit, accrocha son ample vêtement au coin de la table, et plutôt que de s'attarder s'en dégaina furieusement, courut presque nue vers l'appel... Alice secoua la tête en regardant Colombe.

— Une femme des cavernes, dit-elle. Qui aurait cru ça ?

Elles se turent, fumèrent en buvant un reste de café. De la chambre d'Alice venait un langage haché, des mots brefs, proférés très haut, des phrases murmurées. Un silence fut si long qu'Alice s'inquiéta. Mais le monologue recommença, plus bas, apaisé ou précautionneux.

— Qu'est-ce qu'ils peuvent se dire ? demanda Alice.

Colombe pensait à autre chose et n'entendit pas. Elle appuyait sa tête sur sa main, ses sombres cheveux voilant à demi sa joue, et regardait la fenêtre obscure avec de doux yeux de femme, soumis et clairs. « Elle aussi, elle *lui* parle... » Pour la première fois depuis son arrivée, Alice eut à lutter durement contre la convulsion de la gorge, la salive salée qui précède les sanglots. De la chambre d'Hermine jaillit un cri, aussi victorieux que le dernier cri des accouchées, et l'instant d'après Hermine reparut. Elle ramassa d'une main incertaine sa robe ouatée, qu'elle serra contre elle. Son pied nu effleura glacé la main d'Alice, quand elle enjamba le dossier du canapé.

— Crier comme ça, bougonna Colombe réveillée, il y a de quoi faire tourner le lait.

— Qu'est-ce qu'il y a, Hermine ?

Hermine tourna vers ses sœurs sa

pâleur marquée d'ocre et de rouge,
ses yeux qu'emplissaient de grosses
larmes bombées et brillantes :

— Il a... il a dit... bégaya-t-elle...
Il a dit que... qu'il divorçait, qu'on
se marierait tous deux... qu'on par-
tirait loin... tous deux...

Les gros pleurs rayonnants débor-
dèrent. Alice reçut contre son épaule
une épaule nue, une pluie de cheveux
blonds, le fiévreux parfum que l'extrême émotion arrache à la femme,
le fardeau d'un corps qui retrouve,
désarmé, tout son poids. Elle s'affer-
mit pour mieux porter cette sœur
amollie, la berça vaguement et la
laissa sangloter.

— Au moins, est-ce que tu es
sûre... risqua-t-elle au bout d'un
moment.

— Sûre ?

Un nez rougi divisa les cheveux

dorés; laide, heureuse, toute vernis-
sée de larmes, Hermine s'indignait :

— Sûre! Comment peux-tu... Un
homme qui va bouleverser sa vie,
qui a amené sa femme à demander le
divorce, un homme pareil...

« C'est classique, pensait Alice.
Elle est déjà fière du mal qu'elle fait
et de la peine qu'elle donne...»

— ... Et crois-tu, Colombe, s'écria
Hermine en changeant de ton. Il ne
me l'a dit qu'à la fin de son coup de
téléphone, qu'elle demandait le
divorce! Oh! gronda-t-elle avec un
rire plein d'admiration irritée, celui-
là, je ne sais pas ce que je lui ferais!
Colombe, crois-tu?

« Elle n'en appelle qu'à Colombe,
pensait Alice. Je suis hors du jeu... »

— C'est un venimeux, reconnut
Colombe. Et qu'est-ce qu'il appelle
partir loin?

— Je ne sais pas... dit Hermine qui s'occupait de poudrer son visage meurtri, de lisser d'un doigt humide ses sourcils et ses cils. Elle resta songeuse, le miroir et la houppe aux doigts.

— Peut-être Madère...

Déroulés, ses cheveux frôlaient son épaule nue. Elle regardait, dans le vide, un avenir que le hasard venait de sauver, et Madère dont le nom et le vin sont d'or...

— Madère? répéta Colombe. Pourquoi Madère? Quelle drôle d'idée...

Hermine regarda sa sœur avec une malice d'enfant :

— Dis donc, c'est aussi bien que Pau!

Et elle éclata de rire, imitée par Colombe une octave en-dessous.

« Elles jouent entre elles, » songeait

Alice. « Elles sont de la même caste,
à présent. Pour combien de temps ? »
Les rires s'interrompirent, Hermine
se tourna vers Alice avec une gentillesse trop marquée :

— On te secoue bien, aujourd'hui...

« Je les gêne... Je suis la dépa-
reillée... Elles ne vont plus oser faire
la roue l'une devant l'autre, quand
je serai présente... »

Aux trois coups frappés à la porte,
Hermine tressaillit, mais Colombe
baissa les yeux et se leva sans étonnement :

— C'est Carrine... Il m'avait dit
que s'il y avait du nouveau, il
viendrait... Pourvu que...

Elle renoua la corde de son peignoir de bain, accrocha derrière son
oreille droite son bandeau de cheveux, et ouvrit la porte. Long et le
profil caprin, maigre et perdu dans

un imperméable presque blanc,
Carrine alla d'abord à Alice.

— Alice, ma bonne amie...

Il l'étreignit en refermant derrière
elle ses bras, puis l'éloigna de lui
pour la regarder.

— Je suis bien content que vous
soyez si belle... La beauté, c'est le
meilleur symptôme...

« Eh! ce Balabi si gauche, comme
il sait bien ce qu'il faut dire... » Alice
sourit au visage du chèvre-pied, qui
avait les cheveux tournés en spirales,
clairs et mêlés de fils blancs, et de
très beaux yeux châtains, un peu
saillants et chroniquement pleins de
prière. Hermine lui jeta un « bonjour, Balabi, » comme à un petit
garçon. Colombe ne lui dit rien;
mais elle l'aida à quitter son imperméable qu'elle plia avec soin, puis
elle s'assit et tira le bord de son

peignoir jusque sur ses grands orteils irréprochables.

— Hermine, ferme ta robe de chambre, chuchota Alice à l'oreille de sa sœur.

Hermine obéit, mais non sans un coup d'œil de moquerie suprême : « Pour lui ? Tu crois que c'est la peine ? »

A l'incertitude de Carrine, Alice devina qu'il cherchait une phrase affectueuse sur la mort de Michel, et elle voulut lui ôter ce souci.

— Beaucoup de nouveau, Balabi, il me semble ? Colombe m'a dit... Alors, Pau, la baguette, Biarritz, et tout et tout ?

— Oui... Justement, je viens... Je vous dérange...

— Non, vieux zog. C'est une très belle proposition, n'est-ce pas ?

— Oui... Justement... Oh ! ce n'est

pas que je craigne, professionnelle-
ment, de ne pas être à la hauteur...

Il regardait Colombe, et son
absence complète de toute vanité
touchait Alice en même temps qu'elle
l'exaspérait un peu. « Il n'a pas
assez de menton. Voilà. C'est le
menton qui lui manque. Un rien
de carrure en plus dans le bas du
visage, — dans les épaules aussi, —
et Carrine serait un bel homme,
peut-être un grand homme... »

Elle retrouvait, à détailler cet ami
connu, un terrible don de critiquer,
une clairvoyance indépendante, en-
dormis depuis la mort de Michel et
les escarmouches légales qui l'avaient
suivie. La présence de Carrine, la
contenance pudique de Colombe, sa
douceur de jeune fille rendaient Alice
à une préoccupation normale de
l'homme. Aux épaules en bouteille

à vin du Rhin sur lesquelles flottait le veston de Carrine, elle comparait les pectoraux de Michel, le râble avantageux de Lascoumettes. Elle revoyait fugitivement l'ancien associé de Michel, Ambrogio, qui d'admiration perdait la parole devant le contraste d'une frange de cheveux très noirs et d'une paire d'yeux vert-gris, horizontaux... Un flot vivifiant d'égoïsme et de coquetterie reprenait son cours, soulevait Alice... « Quoi, à cause de Carrine ? Eh oui, à cause de Carrine, à cause de ces deux filles assotées... »

Les jambes pliées sous elle, dans un coin du toutounier, Hermine couvrait le Balabi d'une attention dédaigneuse. « Elle juge que le sien est mieux. C'est à voir... Le mien aussi était mieux. Mais Colombe pense que le Balabi est une perle de Golconde...

Au fait, qu'est-ce qu'il raconte, Carrine ? »

— ... Le directeur du Casino est revenu comme nous nous mettions... comme je me mettais à table, ma femme ne mange pas... Je veux dire qu'elle a un régime très dur, et qui n'a guère amené d'amélioration...

L'archange en peignoir de bain lui glissa un regard éblouissant et dur, puis retomba à sa douceur, les yeux baissés.

— ... Il m'a demandé comme un service personnel de lui donner ma réponse sans délai, puisque nous étions d'accord, n'est-ce pas Colombe, sur les conditions, j'ai donc dû venir, et je m'en excuse, demander à Colombe...

Il parlait d'une voix si bien timbrée qu'elle donnait l'envie de ne pas l'interrompre, et Alice l'écoutait en connaisseuse. Colombe penchait vers lui son oreille musicienne ; Hermine elle-même effaçait son sourire mince, et de la tête approuvait le son sinon les paroles.

« Ce qui va se décider ce soir, pensait Alice, ce n'est pas seulement le sort de ces deux amoureuses, mais aussi ma propre solitude. Car elles partiront, l'une et l'autre. Déjà elles partent... Nous ne résistons jamais à un homme. Il n'y a que dans la mort que nous ne le suivons pas... »

— ... Alors j'aimerais connaître, Alice, votre sentiment là-dessus ?

Elle sourit au questionneur, et ne lui fit pas redire ce qu'elle avait peu écouté.

— Mais je pense que tout ça est très bien, vieux zog. Bien pour vous, et bien pour Colombe.

— Oui ? Vrai ?

— Vrai. Colombe, tu sais ce que je t'ai dit.

Elle remarqua que sa sœur aînée n'avait pas encore prononcé un mot. « Ce silence... Comme elle est fidèle, et prête à tout, pour ce pas beau, ce martyr de deuxième classe, cet ægipan timide, enfin ce brave type, quoi... »

Carrine, debout, serrait sans autre effusion la main de Colombe. Elle lui redressa sa cravate, tira dans le dos son veston mal coupé, et lui dit seulement :

— Si tu n'as pas le temps demain, je passerai chez Enoch à ta place.

— Oui, dit Carrine. Oh! ça ne presse pas... Ah! si, c'est vrai, ça presse.

— Bon, dit Colombe. Pas avant six heures, j'ai trois leçons.

— Oh! tes leçons, à présent...

Ils échangèrent un gai regard de farceurs innocents. Hermine jeta à Carrine son « bonsoir, Balabi! » et les trois sœurs Eudes se retrouvèrent seules.

— Aâh! rugit Hermine.

— Quoi? demanda Colombe, qui se tourna vers elle d'une seule pièce.

— Rien. J'ai chaud.

Elle rejeta sa robe de chambre, étira son corps amaigri, sa blancheur de brune à cheveux blonds. Colombe se versa un gobelet d'eau, le vida d'un trait, se gratta la tête à deux mains, furieusement.

« Leur impatience... » songeait Alice. « Elles sont comme des brûlées. Elles sont comme de pauvres filles qui ont trente-cinq ans, vingt-neuf ans, qui sont faites pour n'échapper à rien, ni au bonheur, ni au malheur. Elles croient que toute leur vie s'engage aujourd'hui »...

— Oh! s'écria Hermine, oh! de l'eau chaude! Un bain!

— Vas-y, concéda Colombe. Tu l'as gagné.

Elle se remit en mouvement selon son rythme lent et vigoureux, rassembla verres et assiettes sur un plateau, les emporta dans la cuisine. Alice l'imita, essuya d'un revers de main les miettes de pain, coiffa de papier bleu la lampe articulée du piano, couvrit de draps le canapé anglais. Elles besognaient adroitement sans se heurter, en échangeant des mots qui venaient du fond de leur adolescence.

— Flanque ta robe dans le padirac, tu la brosseras demain matin.

— Tiens, attrape le dipla, mets-le en double sur le toutounier.

Hermine revint, pâle à effrayer,

titubante de fatigue. Mais elle avait pris le soin d'enduire de crème grasse son visage, et de rouler ses cheveux en boucles sous un filet à larges mailles. Elle murmura, d'une petite voix faible : « Bonsoir, Messieurs dames, » fit une grimace, envoya un baiser, et disparut. Au moment de rejoindre sa sœur déjà couchée, Alice hésita :

— Je vais bien te gêner ?... Tu vas avoir besoin de remuer, de penser...

Colombe allongée, bras ouverts, lui sourit sereinement :

— Pourquoi donc, ma fille ? Puisque tout est décidé, Dieu merci, à cette heure-ci je ne pense plus à rien.

— Ce qui veut dire que tu ne penses plus à toi ? Tu te jettes à l'eau, sage Colombe, dans le sillage d'un homme...

L'inquiétude, le scrupule se rallumèrent dans les beaux yeux écartés de l'archange.

— Oh! tu sais... Je crois au contraire que je commets mon premier délit d'égoïsme... Songe donc, ça ne m'est presque jamais arrivé dans la vie, de choisir ce que j'aimais le mieux. M'en aller, comme ça, travailler d'un peu plus près avec Carrine, c'est tout de même ce que j'aurais choisi, si on m'avait donné à choisir. Je te remercie bien, pour... J'espère que je pourrai te rendre ce que tu me prêteras.

— Comme c'est intelligent, dit Alice avec aigreur. Et aimable, surtout. Paragraphe VII du code toutounier...

— ... « Ce qui est à toi est à moi, ce qui est à moi est à toi. » continua Colombe. Texte à réviser, d'ailleurs.

Vois-tu que Bizoute me fasse cadeau de son Bouttemy ?

— Et que je m'approprie le Balabi ? Oui, texte à réviser... C'est difficile, Colombe, ce que tu vas commencer...

Elle étendit la main, pour le plaisir de toucher les cheveux de Colombe, qui lissés et humides devenaient doux, disait Alice, comme un flanc de cheval.

— ... C'est plus difficile que le concubinage. Au fait, pourquoi n'es-tu pas la maîtresse du Balabi ?

— Je ne sais pas, dit Colombe. J'ai eu peur que ça complique...

— Tu n'en as pas envie ?

D'un mouvement de tête Colombe fit glisser ses cheveux sur son visage :

— Des fois je crois que si, et des fois non...

— Il te l'a demandé, depuis le temps ?

— Oui, dit Colombe avec confusion. Seulement, depuis le temps, comme tu dis, il y pense peut-être moins... Et puis, nous n'avons pas de domicile pour ce genre de rencontres, nous autres, et pas de garçonnière...

— Et ça ? dit Alice en frappant du plat de la main le vieux canapé.

Colombe se redressa, indignée.

— Sur le toutounier ! s'écria-t-elle. Faire ça sur le toutounier ! Mais j'aimerais mieux me mettre la ceinture toute la vie ! Notre toutounier si pur... dit-elle avec une grâce soudaine.

Elle n'acheva pas, rougit, et se mit à rire pour excuser sa pudeur.

— Alice, si nous restons comme

ça, le Balabi et moi, sans... Est-ce que ça nous fait un lien assez solide ?

Elle riait, mais ses yeux débordaient de perplexité, et d'une ignorance douloureuse.

— Très solide, affirma Alice, doctoralement. Un lien d'une essence... supérieure. Tu peux me croire.

— Oh ! je te crois, dit Colombe précipitamment. Mais si, au contraire, quand nous serons là-bas, Carrine...

— ... se déguise en satyre ? Ça sera très bien aussi.

— Ah...

Colombe réfléchissait, en tortillant autour de son nez la plus longue mèche qui pendait de son front :

— Mais comment expliques-tu que deux éventualités aussi opposées puissent avoir le même heureux résultat ?

— Crotte, dit Alice. C'est avec des problèmes pareils qu'on devient chauve. Pousse-toi un peu, et dormons. Quelle journée !

Colombe toussa une bonne fois, écrasa sa dernière cigarette, recula jusqu'au dossier du toutounier. Alice éteignit la lampe, s'étendit, ploya un peu les genoux. Deux longues jambes, dans un pyjama d'homme, se collèrent aux siennes, et elle entendit presque aussitôt le souffle long de sa sœur endormie.

De la rue montèrent, par la fenêtre entr'ouverte, des bruits violents et sans importance, une clarté vague. Un carré de nuit pâle marquait au plafond la place de la verrière. Froide et douce, une chevelure glissa du front de Colombe jusqu'à la nuque d'Alice, qui en reçut le contact avec une gratitude proche des pleurs.

« Et quand elle sera partie ?... Et quand elles seront toutes deux parties ?... »

Le vivant voisinage ne lui rappelait aucun souvenir conjugal. Mariée à Michel, elle n'avait admis, en dehors des heures amoureuses, que les lits jumeaux. Quelquefois, assoupie par surprise aux côtés de Michel, il lui était arrivé d'oublier le lieu de son sommeil, et de parler à quelqu'une de la horde : « Pousse-toi, Colombe... Bizoute, quelle heure est-il ?... » Mais sur le toutounier natal, quand un grand bras féminin tombait en travers de son repos, jamais Alice n'avait soupiré : « Laisse-moi, Michel... »

Un dessein vague, enfanté par la crainte de perdre tout ce qui avait été le bien commun de quatre filles sans mère, l'occupait et retardait son repos. « Revenir ici... Rester ici. Nettoyer, restaurer le vieux gîte préféré. Pour moi toute seule ? Non, pour elles aussi. Il se peut qu'elles reviennent. Il se peut que je ne les attende pas très longtemps. Il se pourrait aussi que j'attende quelqu'un d'autre ?... » A la dernière conjecture elle répondit par une dénégation bien sèche, sévère à tout ce qu'eût comporté la présence d'un homme inconnu. Couchée sur son bras replié, elle soutenait dans sa paume un frais sein nu, que la trentaine n'ébranlait pas, un sein un peu plat et très jeune... Elle écarta de sa pensée, avec méfiance, la suspecte pruderie des veuves. Une averse soudaine et son odeur d'étang l'apaisèrent, et elle dormit en croyant qu'elle ne pouvait dormir.

Avant le jour, elle fut éveillée par

l'intrusion d'un corps fluet, qui gei-
gnait tout bas, se glissait sur le grand
canapé rompu avec une adresse de
bête insinuante.

— Allons, bon, gronda Colombe.
Te voilà, toi. Range-toi dans l'autre
coin, au moins. Ne réveille pas trop
Alice. Et ne nous griffe pas avec tes
pieds.

Alice feignait d'ignorer la présence
de la plus jeune sœur, de ne point
sentir le corps pelotonné qui cherchait, peut-être pour la dernière fois,
la protection des membres mêlés, la
sauvage et chaste habitude du sommeil en commun. Elle se retourna
comme en songe, posa sa main sur
une tête petite et ronde, reconnut
le parfum des cheveux blonds. Pourtant il ne lui vint aux lèvres que le
nom de la quatrième fille, lointaine et
perdue de l'autre côté de la terre.

Son bras, tâtonnant, rencontra un genou soulevé, une épaule tiède, çà et là naufragés parmi l'obscurité et le sommeil...

— C'est toi, Bizoute ? Bizoute, tu es là ?

— Oui, soupira la voix d'Hermine.

Alice accepta le mensonge tendre, et se rendormit.